Diogenes Taschenbuch 22968

D0774568

Amélie Nothomb
Der Professor

Roman
Aus dem
Französischen von
Wolfgang Krege

Diogenes

Titel der Originalausgabe:
›Les Catilinaires‹
Copyright © Editions
Albin Michel S. A., Paris 1995
Die deutsche Erstausgabe
erschien 1996 im Diogenes Verlag
Umschlagillustration:
Félix Vallotton, ›Cinq gros piments rouges
sur une table laquée blanc‹, 1915

Für
Béatrice Commengé

Veröffentlicht als Diogenes Taschenbuch, 1997
Alle deutschen Rechte vorbehalten
Copyright © 1996
Diogenes Verlag AG Zürich
150/97/8/1
ISBN 3 257 22968 2

»Ich werde dich Krieg nennen und mir die Freiheiten des Krieges gegen dich herausnehmen, und ich werde dein dunkles und zerfurchtes Gesicht in meinen Händen halten…«

Yves Bonnefoy

Von sich selbst weiß man nichts. Man glaubt, man würde sich daran gewöhnen, man selbst zu sein, aber im Gegenteil! Je mehr Jahre hingehen, desto weniger versteht man, wer diese Person ist, in deren Namen man spricht und handelt.

Ein Problem ist das nicht. Was wäre Schlimmes dabei, wenn man als jemand lebte, den man nicht kennt? Vielleicht ist es besser so: Erkenne dich selbst, und du kannst dich nicht mehr ausstehen.

Diese ganz normale Fremdheit hätte mich nie gestört, wäre nicht – wie soll ich's sagen? Wäre nicht was? – wäre mir Monsieur Bernardin nicht begegnet.

Ich frage mich, wann diese Geschichte angefangen hat. Dutzende von Datierungen kämen in Frage, wie für den Hundertjährigen Krieg. Es wäre korrekt zu sagen, daß sie vor einem Jahr angefangen hat, ebenso aber auch, daß sie ihre eigentümliche Wendung vor sechs Monaten genommen hat. Der Sache gemäßer wäre es freilich, den Beginn etwa in die Zeit meiner Heirat, vor dreiundvierzig Jahren, zu verlegen. Um aber der Wahrheit im reinsten Sinne des Wortes die Ehre zu geben, müßte ich sagen, daß die Geschichte schon mit meiner Geburt, vor sechsundsechzig Jahren, begonnen hat.

Ich bleibe lieber bei meiner ersten Eingebung: Alles hat vor einem Jahr angefangen.

Es gibt Häuser, die Befehle erteilen, gebieterischer als das Schicksal: Schon der erste Anblick bezwingt uns. Dort müssen wir wohnen.

Als ich auf die Fünfundsechzig zuging, suchten Juliette und ich nach etwas auf dem Lande. Da haben wir dieses Haus gesehen und sofort gewußt: Das ist es. Bei aller Abneigung gegen solche Hervorhebungen muß ich doch schreiben, es war *das* Haus: das Haus, aus dem wir nicht mehr ausziehen würden, das auf uns wartete und auf das wir schon immer gewartet hatten.

Schon immer: seitdem Juliette und ich Mann und Frau sind. Amtlich heißt das, seit dreiundvierzig Jahren, tatsächlich seit sechzig Jahren. Wir gingen schon in der Vorschule in dieselbe Klasse. Vom ersten Schultag an haben wir uns geliebt. Wir haben uns nie wieder getrennt.

Juliette ist schon immer meine Frau gewesen – und zugleich meine Schwester und meine Tochter, obwohl wir bis auf einen Monat gleichaltrig sind. Darum haben wir auch keine Kinder. Ich hatte nie ein Verlangen nach anderen Menschen. Juliette ist mein ein und alles.

Ich war Latein- und Griechischprofessor an einem Gymnasium. Ich liebte diesen Beruf; zu meinen wenigen Schülern hatte ich ein gutes Verhältnis. Trotzdem sehnte ich den Ruhestand herbei wie der Mystiker den Tod.

Ich bemühe diesen Vergleich nicht umsonst. Juliette und ich haben immer nach der Befreiung von all dem gestrebt, was die Menschen aus dem Leben gemacht haben. Studien, Arbeit und selbst die bescheidensten Formen der Geselligkeit – das war uns alles schon zuviel. Sogar von unserer Hochzeit haben wir nur die Erinnerung an eine Formalität zurückbehalten.

Juliette und ich, wir wollten endlich die Fünfundsechzig erreichen, wir wollten mit der Zeitverschwendung aufhören, die der Umgang mit Leuten darstellt. Obwohl von Geburt an Großstädter, sehnten wir uns nach dem Leben auf dem Lande, weniger aus Liebe zur Natur als aus dem Bedürfnis, allein zu sein. Dies ist ein zwingendes Bedürfnis, dem Hunger, dem Durst und dem Ekel verwandt.

Beim Anblick des Hauses verspürten wir eine wundervolle Erleichterung. Diesen Ort, nach dem wir uns seit unserer Kindheit sehnten, gab es also wirklich. So hätten wir ihn uns vorgestellt, wenn wir es gewagt hätten: diese Lichtung am Fluß mit diesem Haus, hübsch und verborgen, von einer Glyzinie überwachsen.

Vier Kilometer entfernt liegt das Dorf Mauves, wo wir alles bekommen, was wir brauchen. Auf der anderen Seite des Flusses steht ein anderes, ebenfalls kaum erkennbares Haus. Unser Vermieter hatte uns gesagt, daß dort ein Arzt wohnte. Um so besser, angenommen, wir hätten eines solchen beruhigenden Umstandes irgend bedurft: Juliette und ich würden uns von der Welt zurückziehen, aber dreißig Meter von uns wohnte ein Arzt!

Wir haben keine Sekunde gezögert. Binnen einer Stunde war es *Unser* Haus. Es war nicht teuer; Arbeiten zu seiner Herrichtung waren nicht erforderlich. Wir hatten keinen Zweifel, daß uns in dieser Sache das Glück geleitet hatte.

Es schneit. Als wir vor einem Jahr eingezogen sind, hat es auch geschneit. Wir waren selig: die paar Zentimeter Weiß erweckten in uns schon am ersten Abend den zuverlässigen Eindruck, daß wir zu Hause waren. Am nächsten Morgen fühlten wir uns in diesen vier Wänden heimischer als je zuvor in unserer Stadtwohnung, die wir doch in den letzten dreiundvierzig Jahren nie gewechselt hatten.

Nun endlich konnte ich mich ganz und gar meiner Frau widmen.

Es ist schwer zu erklären: Ich hatte immer das Gefühl, für Juliette nie genug Zeit gehabt zu haben. Was habe ich ihr geben können in diesen sechzig Jahren? Sie ist mein ein und alles. Dasselbe sagt sie von mir, ohne daß mein Gefühl, zutiefst unzulänglich zu sein, dadurch ausgelöscht würde. Nicht, daß ich mir schlecht oder belanglos vorkäme, aber Juliette kennt nichts und niemanden außer mir. Ich war und bin ihr ganzes Leben. Dieser Gedanke schnürt mir die Kehle zu.

Was haben wir gemacht, die ersten Tage im neuen Haus? Nichts, glaube ich. Abgesehen von einigen Spaziergängen in dem Wald, der so weiß und still war, daß wir oft stehengeblieben sind, um uns erstaunt anzublicken.

Davon abgesehen, nichts. Endlich waren wir da angelangt, wo wir seit unserer Kindheit immer hatten sein wollen. Und von Anfang an hatten wir gewußt, daß dies das Leben war, nach dem wir uns immer gesehnt hatten. Wäre der Friede nicht gestört worden, so wäre gewiß alles bis zu unserem Tode so geblieben.

Bei diesem Satz läuft es mir kalt über den Rükken. Mir wird klar, daß ich nicht gut erzähle. Fehler passieren mir. Keine Ungenauigkeiten oder Unwahrheiten, sondern Fehler. Das kommt sicherlich daher, daß ich diese Geschichte nicht begreife; sie geht über meinen Verstand.

Nur ein Detail aus dieser ersten Woche, an das ich mich klar erinnere: Ich machte Feuer im Kamin, und natürlich, ich stellte mich dumm an. Anscheinend erfordert das jahrelange Übung. Ich hatte etwas zustande gebracht, das irgendwie brannte, aber ein Feuer konnte man es nicht nennen, denn man sah ihm an, daß es nicht von Dauer sein würde. Immerhin, für den Moment hatte ich einen Verbrennungsvorgang erzeugt, und darauf war ich schon stolz.

Als ich so vor dem Herd hockte, habe ich den Kopf zu Juliette gewandt. Sie saß nahebei in einem niedrigen Sessel und betrachtete das Feuer mit dem Gesicht, das sie bei solchen Gelegenheiten immer macht: respektvolle Konzentration auf die Sache, in diesem Fall mein armseliges Flämmchen.

Rührend, sie hatte sich kein bißchen verändert, nicht nur seit unserer Hochzeit, auch nicht seit unserer ersten Begegnung. Ein bißchen größer war sie geworden – sehr wenig –, und ihr Haar war nun weiß; aber in allem übrigen, und das heißt in so gut wie allem, war sie sich in einem sinnestäuschenden Maße gleichgeblieben.

Der Blick, mit dem sie das Feuer betrachtete, war noch der gleiche, mit dem sie in der ersten Klasse die Lehrerin angesehen hatte. Die Hände auf den Knien, die unbewegte Kopfhaltung, die ruhigen Lippen, die bedächtige Miene eines gespannt lauschenden Kindes: Ich hatte schon immer gewußt, daß sie sich nicht verändert hatte; doch so genau gewußt hatte ich es noch nie.

Diese Erkenntnis setzte meine Gefühle in heftige Bewegung. Ich achtete nicht mehr auf mein pflegebedürftiges Feuerchen, ich hatte nur noch Augen für das sechsjährige Mädchen, mit dem ich seit fast sechzig Jahren zusammenlebte.

Ich weiß nicht, wie viele Minuten das gedauert hat. Plötzlich hat sie mir das Gesicht zugekehrt und gesehen, daß ich sie betrachtete.

Sie hat gemurmelt:

– Das Feuer brennt nicht.

Und ich, als ob das eine Antwort gewesen wäre, ich habe gesagt:

– Die Zeit existiert nicht.

Ich war noch nie im Leben so glücklich gewesen.

Eine Woche nachdem wir in Unser Haus eingezogen waren, konnten wir nicht mehr glauben, daß
wir je anderswo gewohnt haben sollten.

Eines Morgens sind wir mit dem Wagen ins
Dorf gefahren, um Vorräte einzukaufen. Der Lebensmittelladen in Mauves war entzückend: Es
gab nicht viel dort zu kaufen, und dieser Mangel
an Auswahl bereitete uns ein schwer erklärliches
Vergnügen.

Als wir heimkamen, bemerkte ich:

– Siehst du, beim Nachbarn kommt auch kein
Rauch aus dem Schornstein! Man kann schon seit
langem hier wohnen und immer noch nicht imstande sein, Feuer zu machen.

Juliette konnte es gar nicht fassen, daß wir nun
eine Garage hatten. Wir hatten noch nie eine gehabt.
Als ich die Garagentür zumachte, sagte sie:

– Auch für den Wagen ist es Unser Haus.

Ich hörte die Betonung und lächelte.

Wir hatten die Einkäufe ausgepackt. Es fing wie-
der an zu schneien. Nur gut, daß wir die Fahrt ins
Dorf schon hinter uns hatten, sagte meine Frau.
Bald würde die Straße unpassierbar sein.

Die Vorstellung erfreute mich – alles erfreute
mich. Ich sagte:

– Mein Lieblingssprichwort war schon immer:

»Glücklich lebt man nur im verborgenen.« Soweit sind wir jetzt, nicht?

– Ja, das sind wir.

– Ein anderer Schriftsteller, ich weiß nicht mehr, welcher, hat vor noch nicht langer Zeit hinzugefügt: »Verborgen bleibt nur, wer glücklich ist.« Das ist noch richtiger. Und es trifft noch besser für uns zu.

Juliette blickte in das Schneetreiben hinaus. Ich sah nur ihren Rücken, aber was in ihren Augen stand, wußte ich.

Am gleichen Nachmittag, gegen vier Uhr, klopfte jemand an die Tür.

Ich ging hin und machte auf. Es war ein dicker Mann, der älter zu sein schien als ich.

– Ich bin Monsieur Bernardin. Ihr Nachbar.

Daß man neu eingezogene Nachbarn begrüßen kommt, noch dazu auf einer Waldlichtung, wo überhaupt nur zwei Häuser stehen, was wäre normaler? Außerdem gab es kaum etwas Uninteressanteres als das Gesicht dieses Mannes. Trotzdem, ich erinnere mich, daß ich ganz starr wurde vor Erstaunen, wie Robinson bei seiner Begegnung mit Freitag.

Einige lastende Sekunden vergingen, bis mir meine Unhöflichkeit bewußt wurde. Ich fand die Worte, die sich gehörten:

– Natürlich! Sie sind der Herr Doktor. Kommen Sie rein!

Als er im Wohnzimmer war, ging ich Juliette holen. Sie schaute ganz verängstigt drein. Ich lächelte.

– Es ist nur ein kleiner Höflichkeitsbesuch, flüsterte ich.

Monsieur Bernardin gab meiner Frau die Hand, dann setzte er sich. Eine Tasse Kaffee nahm er an. Ich fragte ihn, ob er schon lange in dem Nachbarhaus wohne.

– Seit vierzig Jahren, antwortete er.

– Schon vierzig Jahre hier! schwärmte ich. Was müssen Sie glücklich gewesen sein!

Er sagte nichts. Ich schloß daraus, daß er nicht glücklich gewesen war, und wechselte schnell das Thema.

– Sind Sie der einzige Arzt in Mauves?

– Ja.

– Verflucht schwere Aufgabe!

– Nein. Niemand ist krank.

Das war nicht weiter verwunderlich. Das Dorf zählte sicher nicht mehr als hundert Seelen. Wenig Aussichten also, Patienten zu finden.

Ich entrang ihm noch einige weitere elementare Auskünfte – ich mußte sie ihm entringen, denn er antwortete so wenig wie möglich. Wenn ich nichts sagte, sagte er auch nichts. Ich erfuhr, daß er verheiratet war, daß er keine Kinder hatte und daß wir uns im Falle einer Erkrankung an ihn wenden könnten. Deshalb sagte ich:

– Was für ein Glück, Sie zum Nachbarn zu haben!

Er verzog keine Miene. Ich fand, er sah aus wie ein trübsinniger Buddha. Geschwätzigkeit konnte man ihm jedenfalls nicht vorwerfen.

Zwei Stunden lang blieb er reglos in seinem Sessel sitzen und antwortete auf meine läppischen Fragen. Er ließ sich Zeit beim Sprechen, als ob er sich alles erst überlegen müßte, sogar wenn ich ihn nach dem Klima fragte.

Ich fand ihn rührend. Ich hatte nicht den geringsten Zweifel, daß dieser Besuch ihn langweilte. Es war klar, daß er sich in einer naiven Auffassung der Höflichkeitsregeln dazu verpflichtet gefühlt hatte. Er schien den Augenblick herbeizusehnen, wo er sich verabschieden könnte. Ich sah ihm an, daß er zu linkisch und befangen war, als daß er gewagt hätte, die erlösenden Worte auszusprechen: »Jetzt will ich Sie nicht länger stören« oder: »Ich freue mich, Sie kennengelernt zu haben.«

Nach zwei qualvollen Stunden stand er endlich auf. Die Ratlosigkeit schien ihm ins Gesicht geschrieben zu sein, als ob er sagen wollte: »Ich weiß nicht, was ich sagen soll, damit ich nun gehen kann, ohne unhöflich zu sein.«

Mitleidig kam ich ihm zu Hilfe:

– Sehr nett von Ihnen, daß Sie uns Gesellschaft geleistet haben! Aber Ihre Frau wird sich Sorgen machen, wo Sie bleiben.

Er gab keine Antwort, zog seinen Mantel an, grüßte und ging hinaus.

Ich blickte ihm nach und mußte ein Lachen unterdrücken. Als er ein Stück weit weg war, sagte ich zu Juliette:

– Der arme Monsieur Bernardin! Wie muß dieser Höflichkeitsbesuch ihm schwergefallen sein!

– Eine Plaudertasche ist er nicht gerade.

– Was für ein Glück! Das ist ein Nachbar, der uns nicht stören wird.

Ich nahm meine Frau in die Arme und drückte sie; dabei murmelte ich:

– Ist dir klar, wie sehr wir hier allein sein werden? Ist dir klar, wie vollkommen allein?

Etwas anderes hatten wir nie gewollt. Es war ein namenloses Glück.

Wie sagte doch der Dichter, den Scutenaire zitiert hat? »Man ist niemals nichts genug.«

Am nächsten Tag klopfte Monsieur Bernardin wieder.

Als ich ihn hereinbat, dachte ich, er wolle uns einen Höflichkeitsbesuch seiner Frau ankündigen.

Er setzte sich in denselben Sessel wie am Tag zuvor, ließ sich eine Tasse Kaffee bringen und schwieg.

– Wie ist es Ihnen seit gestern ergangen?

– Gut.

– Wird Ihre Frau uns auch bald mit ihrem Besuch beehren?

– Nein.

– Es geht ihr doch hoffentlich gut?

– Ja.

– Zwangsläufig. Die Frau eines Arztes kann ja nicht anders als sich bei guter Gesundheit befinden, nicht wahr?

– Nein.

Ich grübelte einen Augenblick über dieses Nein, eingedenk der logischen Regeln für die Beantwortung negativer Fragen. Ich machte die Dummheit, daran anzuknüpfen:

– Wenn Sie ein Japaner oder ein Computer wären, müßte ich nun folgern, daß Ihre Frau krank ist.

Schweigen. Eine Welle der Scham durchflutete mich.

– Verzeihen Sie! Ich bin fast vierzig Jahre Lateinlehrer gewesen und vergesse manchmal, daß nicht alle Leute so sprachbesessen sind wie ich.

Schweigen. Monsieur Bernardin schien zum Fenster hinauszublicken.

– Es schneit nicht mehr. Ein Glück! Haben Sie gesehen, was diese Nacht heruntergekommen ist?

– Ja.

– Schneit es hier jeden Winter so viel?

– Nein.

– Ist die Straße manchmal zugeschneit?

– Manchmal.

– Dauert das dann lange?

– Nein.

– Aha, der Räumdienst kommt schnell?

– Ja.

– Um so besser.

Der Grund, warum ich in meinem Alter mich so genau an ein Gespräch erinnern kann, das ein Jahr zurückliegt und das von einer solchen Belanglosigkeit war, liegt in der Langsamkeit dieser Antworten. Zu jeder Frage von mir äußerte sich der Herr Doktor erst nach einer Viertelminute.

Aber schließlich war das ja normal bei einem Mann, der sicher schon um die siebzig war. Ich dachte mir, in fünf Jahren ginge es mir vielleicht auch so.

Schüchtern kam Juliette herbei und setzte sich neben Monsieur Bernardin. Sie betrachtete ihn mit der respektvoll aufmerksamen Miene, die ich schon erwähnt habe; nur ihre Augen blieben leer.

– Noch eine Tasse Kaffee, Monsieur? fragte sie.

Er lehnte ab. »Nein.« Das Ausbleiben des »Danke, Madame« befremdete mich ein wenig. Es war klar, daß sein Wortschatz über »Ja« und »Nein« nicht weit hinausging. Ich begann mich zu fragen, warum er sich bei uns so lange aufhielt. Er sagte nichts und hatte nichts zu sagen. Mir kam ein Verdacht:

– Ist bei Ihnen drüben gut geheizt, Monsieur?

– Ja.

Experimentierfreudig, wie ich nun einmal bin, setzte ich die Befragung dennoch fort; irgendwo mußte dieser Lakonismus ja eine Grenze haben.

– Sie haben kein offenes Feuer, glaub' ich?

– Nein.

– Sie heizen mit Gas?

– Ja.

– Und damit haben Sie keine Probleme?

– Nein.

So kam ich nicht weiter. Ich versuchte es mit einer Frage, die sich nicht mit Ja oder Nein beantworten ließ:

– Womit verbringen Sie denn Ihre Tage?

Schweigen. Sein Blick verfinsterte sich. Er kniff die Lippen zusammen, als ob ich ihn gekränkt hätte. Die stumme Mißbilligung beschämte mich.

– Verzeihen Sie, ich war indiskret.

Im nächsten Moment kam mir diese Erwiderung lächerlich vor. An meiner Frage war doch nichts gewesen, woran er hätte Anstoß nehmen können. Wenn hier einer unhöflich war, dann er, denn er belästigte uns schließlich und hatte uns dabei gar nichts zu sagen.

Selbst wenn er sehr gesprächig wäre, dachte ich mir, wäre sein Benehmen nicht korrekt. Und hätte ich mich denn lieber mit einem Wortschwall überschütten lassen? Schwer zu sagen. Aber wie mir sein Schweigen auf die Nerven ging!

Plötzlich fiel mir eine andere Möglichkeit ein: Vielleicht wollte er uns um einen Gefallen bitten und traute sich nicht. Ich stellte mehrere Fragen, die in diese Richtung zielten:

– Haben Sie Telefon?

– Ja.

– Radio, Fernsehen?

– Nein.

– Wir auch nicht. Man kommt sehr gut ohne aus, nicht?

– Ja.

– Haben Sie Probleme mit dem Wagen?

– Nein.

– Lesen Sie gern?

– Nein.

Immerhin, ehrlich war er. Aber wie konnte man es in diesem entlegenen Winkel aushalten ohne die Freuden der Lektüre? Ich war erschrocken. Um so mehr, als er am Tag zuvor gesagt hatte, im Dorf habe er keine Patienten.

– Eine schöne Gegend für Spaziergänge ist das hier. Gehen Sie oft spazieren?

– Nein.

Ich betrachtete seine Fettwülste und fand, das hätte ich mir denken können. »Trotzdem merkwürdig, daß ein Arzt so dick ist!« sagte ich mir.

– Sind Sie Facharzt?

Ich bekam eine Antwort in Rekordlänge:

– Ja, Kardiologe. Aber ich behandle als praktischer Arzt.

Verblüffung. Dieser Mann, so verblödet er mir vorkam, war Kardiologe! Das setzte ein schwieriges, beharrliches Studium voraus. In diesem Kopf steckte also eine Intelligenz.

Fasziniert stellte ich alle meine bisherigen Annahmen auf den Kopf: Mein Nachbar war von höherer Geistesart. Daß er für die Antwort auf meine einfältigen Fragen fünfzehn Sekunden brauchte, war seine Art, mich auf die Albernheit meines Geredes hinzuweisen. Daß er nichts sagte, hieß, daß er vor dem Schweigen keine Angst hatte. Daß er nicht las, hatte sicher einen Grund, der eines Mallarmé würdig gewesen wäre; dies paßte auch vortrefflich zu seinem trübsinnigen Äußeren. Sein Lakonismus und seine Vorliebe für die Worte Ja und Nein konnten bedeuten, daß er es mit Bernanos und dem Apostel Matthäus hielt. Seine Augen, die nichts ansahen, verrieten existentielle Unzufriedenheit.

So gesehen wurde alles erklärlich. Der Grund, warum er seit vierzig Jahren hier lebte, war der Abscheu vor der Gesellschaft. Und zu mir kam er und schwieg, weil er im Angesicht des Todes eine neue Art der Kommunikation erproben wollte.

Ich entschloß mich, ebenfalls zu schweigen.

Es war das erste Mal in meinem Leben, daß ich beim Zusammensein mit jemandem stumm blieb. Genauer gesagt, mit Juliette hatte ich das schon getan; zwischen uns war dies sogar die häufigste Form der Verständigung, denn wir hatten, seit wir sechs waren, genug Zeit gehabt, die Sprache hinter uns zu lassen. Aber dergleichen konnte ich im Umgang mit Monsieur Bernardin nicht erhoffen.

Dennoch schloß ich mich seinem Schweigen anfangs voll Zuversicht an. Es schien ganz leicht zu sein. Man brauchte nur die Lippen nicht mehr zu bewegen, nicht mehr nach den passenden Worten zu suchen. Aber Schweigen ist nicht gleich Schweigen: Juliettes Schweigen war eine verhüllte Welt voller Verheißungen und von Fabeltieren bevölkert, während das Schweigen meines Besuchers, sobald er in die Diele trat, beklemmend wirkte und sein Gegenüber in ein Stück hilflose Masse verwandelte.

Ich versuchte es auszuhalten, wie ein Taucher, der möglichst lange unter Wasser bleiben will. Es war eine furchtbare Prüfung. Die Hände wurden mir feucht und die Zunge trocken.

Das schlimmste war, daß unser Gast sich durch meinen Versuch anscheinend belästigt fühlte. Er sah mich schließlich verärgert an, als wollte er sagen: »Unmöglich, wie Sie sich benehmen, anstatt mit mir zu plaudern!«

Ich streckte die Waffen. Kleinmütig setzten meine Lippen sich von selbst in Bewegung, um Laute hervorzubringen – egal, was für welche. Zu meiner eigenen Überraschung sagte ich:

– Meine Frau heißt Juliette, und ich heiße Émile.

Es war nicht zu fassen. Welch lächerliche Anbiederung! Ich hatte nie beabsichtigt, diesem Herrn unsere Vornamen zu verraten. Warum zum Teufel hatten meine Sprechwerkzeuge dergleichen Manieren angenommen?

Dem Doktor schien es ebenso zu mißfallen wie mir, denn er sagte nichts, nicht mal: »Aha!« Auch in seinen Augen war nichts von jenem unbestimmten Echo zu erkennen, das man mit »ich hab's gehört« übersetzen kann.

Mir war, als hätten wir eben unsere Kräfte im Armdrücken gemessen und ich wäre schmählich besiegt worden. Sein Gesicht zeigte gleichmütigen Triumph.

Und ich, der elende Besiegte, bekam nicht genug von der Demütigung:

– Wie heißen Sie mit Vornamen, Monsieur?

Nachdem die rituellen fünfzehn Sekunden verstrichen waren, antwortete mir seine wie immer tonlose Stimme:

– Palamède.

– Palamède? Palamède, das ist ja wunderbar! Wissen Sie nicht, daß es ein Palamedes war, der während der Belagerung von Troja das Würfelspiel erfunden hat?

Ich werde nie erfahren, ob Monsieur Bernardin davon wußte, denn er sagte nichts. Meinerseits war ich heilfroh über diese onomastische Ablenkung.

– Palamède! Das trifft den mallarméischen Zug an Ihnen: »Ein Würfelwurf wird nie den Zufall löschen.«

Unser Nachbar schien meine Bemerkung herablassend hinzunehmen. Er schwieg, als ob ich die Grenzen zum Albernen hin überschritten hätte.

– Verstehn Sie, ich muß lachen, weil Ihr Vorname so ungewöhnlich ist. Aber er ist sehr schön. Palamède!

Schweigen.

– War Ihr Vater auch Lehrer für die alten Sprachen, wie ich?

– Nein.

»Nein«: das war alles, was ich über Herrn Bernardin senior erfahren durfte. Langsam fand ich die Situation ärgerlich. Ich habe mich immer gescheut, Leute auszufragen. Das war schließlich der Grund, warum ich mich hier in diesem entlegenen Winkel vergrub. Ein außenstehender Beobachter hätte dem Doktor recht geben können: erstens weil ich indiskret war, zweitens weil der Klügere niemals der ist, der viel redet. Aber diesem Beobachter wäre das Gespräch unverständlich geblieben, wenn er eines nicht wußte, nämlich daß dieser Mann derjenige von uns beiden war, der sich dem andern aufdrängte.

Ich war kurz davor, ihn zu fragen: »Weshalb sind

Sie gekommen?« Ich brachte es nicht über die Lippen. Die Frage schien mir zu brüsk, sie konnte nur bedeuten, daß ich ihn aufforderte, wieder zu gehen. Gewiß, das war, was ich mir wünschte. Aber den Mut, mich wie ein Grobian aufzuführen, hatte ich nicht.

Palamède Bernardin dagegen hatte den Mut. Er blieb sitzen und sah ins Leere, stumpfsinnig und unzufrieden zugleich. Ob ihm die Grobheit seines Betragens bewußt war? Wie soll man's wissen?

Während der ganzen Zeit saß Juliette neben ihm. Sie beobachtete ihn, sie schien ihn sehr interessant zu finden. Es sah aus, wie wenn eine Zoologin das Verhalten eines seltsamen Tieres studierte.

Der Kontrast zwischen ihrer schmalen Silhouette mit den lebhaften Augen und der trägen Massigkeit unseres Nachbarn entbehrte nicht der Komik. Leider fühlte ich mich nicht berechtigt zu lachen. Zum ersten Mal im Leben verwünschte ich meine guten Manieren.

Was zum Teufel konnte ich noch zu ihm sagen? Ich durchstöberte meinen Kopf auf der Suche nach einem harmlosen Thema.

– Fahren Sie manchmal in die Stadt?

– Nein.

– Sie bekommen im Dorf alles, was Sie brauchen?

– Ja.

– Der Lebensmittelladen in Mauves bietet aber nicht viel.

– Ja.

»Ja.« Ja? Was sollte dieses Ja bedeuten? Wäre ein Nein hier nicht passender gewesen? Der Dämon der Linguistik ergriff wieder von mir Besitz, als Juliette sich einmischte:

– Es gab keinen Kopfsalat, Monsieur. Natürlich, wegen der Jahreszeit. Aber wie soll man ohne Kopfsalat auskommen? Wird es wenigstens im Frühjahr welchen geben?

Die Frage schien unseren Gast intellektuell zu überfordern. Nachdem ich ihn für einen Weisen gehalten hatte, kam ich nun wieder auf meine erste Hypothese zurück: Er war schwachsinnig. Andernfalls hätte er die Frage entweder mit »ja«, »nein« oder »ich weiß nicht« beantwortet.

Er schaute schon wieder genervt drein. Doch was meine Frau gesagt hatte, konnte man ihr schwerlich als Indiskretion verübeln. Trotzdem fuhr ich, übertrieben respektheischend, dazwischen:

– Hör mal, Juliette, fragt man denn einen Mann wie Monsieur Bernardin nach solchen Hausfrauensachen?

– Ißt Monsieur Bernardin keinen Salat?

– Das ist doch Madame Bernardins Sache.

Sie wandte sich wieder dem Doktor zu, um ihm eine Frage zu stellen, bei der ich nicht recht wußte, ob sie nun einfältig oder unverschämt war:

– Ißt Madame Bernardin Salat?

Ich wollte mich schon einmischen, als er nach seiner üblichen Bedenkzeit das Wort ergriff:

– Ja.

Die Tatsache, daß er sich zu einer Antwort herbeigelassen hatte, bewies allein schon, daß die Frage gut gestellt gewesen war. Nach solchen Dingen also konnte man ihn fragen. Mit der Liste der Gemüsesorten konnten wir uns für einige Zeit aus der Affäre ziehen.

– Essen Sie auch Tomaten?

– Ja.

– Steckrüben?

– Ja.

Die Gemüsenamen waren eine phantastische Lösung, aber ein gewisses Gefühl für Anstand hielt mich ab, damit fortzufahren. Schade, es fing an mich zu amüsieren. Ich erinnere mich, daß ich noch lange zwischen Schweigepausen und dummen Fragen hin und her tappte.

Wie am vorigen Tag stand er gegen sechs Uhr abends auf, um zu gehen. Ich hatte schon nicht mehr

daran geglaubt. Ich kann gar nicht sagen, wie un-
endlich lang mir die zwei Stunden geworden waren.
Ich war erschöpft, als hätte ich mit dem Zyklopen
gerungen oder, schlimmer noch, mit seinem Gegenteil. Denn der Zyklop hieß ja Polyphem, »der
viel Redende«. Einem Schwätzer standzuhalten ist
schon schwer genug. Aber was soll man gegen jemanden machen, der einen überfällt und einem sein
Schweigen aufzwingt?

Am vorigen Abend hatte ich gelacht, nachdem
der Nachbar gegangen war. An diesem Abend
lachte ich nicht mehr. Juliette fragte mich, als ob ich
allwissend wäre:

– Warum ist er heute gekommen?

Um sie zu beruhigen, ließ ich mir diese nicht
ganz glaubwürdige Antwort einfallen:

– Manche Leute finden eben, daß ein Höflichkeitsbesuch nicht genügt. Sie machen zwei. Die haben wir nun hinter uns.

– Ah! Um so besser. Der Mann macht sich ganz
schön breit.

Ich lächelte. Aber ich war auf das Schlimmste gefaßt.

Am nächsten Morgen war ich schon beim Auf-
wachen nervös. Den Grund wagte ich mir nicht

einzugestehen. Um dieser unbestimmten Angst Herr zu werden, überlegte ich mir einen Feldzugsplan.

– Heute stellen wir einen Weihnachtsbaum auf.

Juliette fiel aus allen Wolken.

– Aber Weihnachten ist doch vorbei! Wir haben Januar.

– Egal.

– Wir haben doch noch nie einen Weihnachtsbaum gehabt!

– Dieses Jahr wollen wir einen.

Ich bereitete alles generalstabsmäßig vor: Zuerst würden wir ins Dorf fahren, um eine Tanne und den Schmuck zu kaufen; am Nachmittag dann würden wir den Baum im Wohnzimmer aufstellen und herrichten.

Selbstverständlich war es mir gleichgültig, ob wir einen Weihnachtsbaum hatten oder nicht. Ich brauchte ihn nur, um meine Unruhe auszufüllen.

Im Dorf gab es keine Weihnachtsbäume mehr zu kaufen. Wir kauften ein paar Girlanden und bunte Glaskugeln, aber auch eine Axt und eine Säge. Auf der Rückfahrt hielt ich mitten im Wald an und sägte mit der Ungeschicklichkeit des Anfängers eine kleine Tanne ab. Ich steckte sie in den Kofferraum, den ich deshalb offenlassen mußte.

Am Nachmittag kostete es uns viel Mühe, bis wir den Baum soweit hatten, daß er im Wohnzimmer aufrecht stand. Ich verfügte, daß wir nächstes Jahr eine Tanne mit Wurzeln nehmen und in einen Topf stellen würden. Nun mußte der Schmuck, der von zweifelhaftem Geschmack war, auf die Zweige verteilt werden. Meine Frau hatte viel Spaß daran. Sie fand, der Baum sehe feingemacht aus wie eine Bauersfrau, die vom Friseur kommt. Mit ein paar Lockenwicklern, meinte sie, würde er noch schöner.

Juliette schien die Drohung, die über unseren Häuptern schwebte, ganz vergessen zu haben. Ich aber war voll Sorge und blickte einigemal verstohlen auf meine Uhr.

Punkt vier klopfte es an die Tür.

Meine Frau stöhnte leise:

– O nein!

An diesen beiden Worten erkannte ich, daß auch ihre Befürchtungen durch meine Umtriebe nicht betäubt worden waren.

Resigniert ging ich aufmachen. Unser Quälgeist war allein. Er brummte ein »Guten Tag«, reichte mir seinen Mantel und setzte sich, wie er es nun schon gewöhnt war, in seinen Sessel im Wohnzimmer. Er nahm eine Tasse Kaffee an und sagte nichts.

Ich hatte die Kühnheit, ihn zu fragen – wie

schon am vorigen Tag –, ob seine Gattin auch kommen werde – was ich mir keineswegs wünschte, was aber seinem Besuch wenigstens einen Grund gegeben hätte.

Mit verdrossener Miene gab er eines der beiden Grundwörter aus seinem Repertoire zum besten:

– Nein.

Die Sache wurde einem Alptraum immer ähnlicher. Aber wenigstens hatten wir dank unserer Beschäftigung an diesem Tag nun ein prächtiges Gesprächsthema:

– Haben Sie schon gesehen? Wir haben einen Weihnachtsbaum aufgestellt.

– Ja.

Fast hätte ich gefragt: »Ist er nicht schön?«; aber ich entschied mich für ein wissenschaftliches Experiment in Form einer anderen kühnen Frage:

– Wie finden Sie ihn?

Das war jedenfalls nicht indiskret. Ich hielt den Atem an. Die Antwort mußte eine wichtige Erkenntnis zeitigen: Besaß Monsieur Bernardin Vorstellungen davon, was schön ist und was häßlich?

Nach der üblichen Bedenkzeit und einem flüchtigen Blick auf unser Kunstwerk wurden wir einer unklaren, mit tonloser Stimme verlautbarten Antwort gewürdigt:

– Gut.

»Gut«: aber was bedeutete das in Monsieur Bernardins persönlichem Lexikon? Enthielt es ein ästhetisches oder ein moralisches Urteil – »es gehört zum guten Ton, daß man einen Weihnachtsbaum hat«? Ich fragte nach:

– Was meinen Sie mit »gut«?

Der Doktor machte ein verdrossenes Gesicht. Ich bemerkte, daß er diese Miene immer dann aufsetzte, wenn meine Fragen über das Wortfeld hinausführten, mit dem er bei den gewöhnlichen Antworten auskam. Beinah wäre es ihm gelungen, mich zu beschämen wie an den beiden ersten Tagen, wo ich am Ende geglaubt hatte, daß meine Fragen ungehörig seien. Dieses Mal beschloß ich, dem zu widerstehen.

– Bedeutet es, daß Sie ihn schön finden?

– Ja.

Verdammt, jetzt hatte ich vergessen, daß ich ihm keine Chance lassen durfte, seine zwei Lieblingswörter anzubringen:

– Haben Sie auch einen Weihnachtsbaum?

– Nein.

– Warum nicht?

Wütendes Gesicht auf seiten des Gastes. Ich dachte mir: »Schön so, mach nur dein böses Gesicht! Es stimmt ja, ich stelle dir eine unerhört zudringliche Frage: Warum hast du keinen Weihnachtsbaum? Was bin ich doch für ein Flegel! Und dieses Mal helf' ich dir nicht aus der Klemme. Du mußt die Antwort ganz allein finden.«

Die Sekunden vergingen. Monsieur Bernardin runzelte die Stirn, sei es, weil er nachdachte, sei es, weil ihm der Zorn keine Ruhe ließ, sich mit einem Rätsel gleich dem der Sphinx abplagen zu müssen. Ich begann mich sehr wohl zu fühlen.

Aber wie bestürzt war ich, als sich Juliette in freundlichem Ton einmischte:

– Vielleicht weiß Monsieur Bernardin gar nicht, warum er keinen Weihnachtsbaum hat. Die Gründe für solche Dinge kennt man oft selber nicht.

Ich schaute sie voll Verzweiflung an. Sie hatte mir alles verdorben.

Aus seiner Hilflosigkeit erlöst, hatte unser Nachbar seine Gemütsruhe wiedergefunden. Doch dieses Wort – das wurde mir klar, als ich ihn musterte – paßte nicht auf ihn. Er hatte nichts davon; es war mir nur eingefallen, weil man dicken Männern gewohnheitsmäßig Gemütsruhe zuschreibt. Das Gesicht unseres Quälgeistes zeigte keine Spur von Sanftmut oder Gelassenheit. Im Grunde verriet es nichts anderes als Traurigkeit: nicht die elegante Tristesse, die man den Portugiesen nachsagt, sondern eine drückende, unerschütterliche Traurigkeit, einen Trübsinn, aus dem es keinen Ausweg gab, denn man spürte, daß er in seine Fettschichten eingeschmolzen war.

Wenn ich mir's recht überlegte: Hatte ich je einen fröhlichen Dicken gekannt? Vergebens durchsuchte ich mein Gedächtnis. Es schien mir unbegründet, daß fettleibige Menschen angeblich heiter sein sollen: Die meisten von ihnen hatten im Gegenteil einen bekümmerten Gesichtsausdruck wie Monsieur Bernardin.

Dies mußte einer der Gründe sein, warum seine Anwesenheit so lästig war. Hätte er ein zufriedenes Gesicht gehabt, so glaube ich nicht, daß sein Schweigen mich ebenso bedrückt hätte. Von der Stagnation in dieser fetten Verzweiflung ging etwas sehr Zermürbendes aus.

Juliette, die klein und nahezu zerbrechlich dünn war, hatte, selbst wenn sie nicht lächelte, ein heiteres Gesicht. Bei unserem Gast mußte es wohl umgekehrt sein – gesetzt den Fall, es wäre einmal vorgekommen, daß er lächelte.

Was ich im Anschluß an meine gescheiterte Erkundigung nach den Weihnachtsbäumen und den Gründen ihres Seins oder Nichtseins noch gesagt habe, weiß ich nicht mehr. Ich erinnere mich nur noch, daß es ein langer, langer und peinlicher Nachmittag wurde.

Als er endlich ging, konnte ich nicht glauben, daß es erst sechs Uhr war; ich war felsenfest überzeugt, es sei schon neun, und sah den Moment voraus, wo er sich bei uns zum Abendessen einladen würde. Er war also »nur« zwei Stunden geblieben, genau wie am vorigen und am vorvorigen Tag.

Mit der Ungerechtigkeit, zu der uns die Erbitterung treibt, machte ich meinem Ärger gegen Juliette Luft:

– Warum bist du ihm nur bei den Weihnachtsbäumen zu Hilfe gekommen? Du hättest ihn schmoren lassen müssen!

– Ich bin ihm zu Hilfe gekommen?

– Ja! Du hast an seiner Stelle geantwortet.

– Doch nur, weil mir deine Frage ein bißchen ungehörig vorkam.

– Und ob sie ungehörig war! Ein Grund mehr, sie ihm zu stellen. Und sei es nur, um seinen Intelligenzgrad zu testen.

– Immerhin ist er doch Kardiologe.

– Vielleicht ist er in ferner Vergangenheit mal intelligent gewesen. Heute, soviel ist klar, ist ihm davon nichts geblieben.

– Macht er dir nicht eher den Eindruck, als ob er

ein Problem hat? Er hat so ein unglückliches und schicksalsergebenes Gesicht.

– Hör mal, Juliette, du bist hinreißend, aber wir sind nicht Sankt Bernhard!

– Glaubst du, er kommt morgen wieder?

– Woher soll ich das wissen?

Ich merkte, daß ich die Stimme erhob. Wie der letzte Dutzendmensch ließ ich meine Wut an meiner Frau aus.

– Entschuldige! Dieser Typ macht mich rasend.

– Wenn er nun morgen wiederkommt, was machen wir dann, Émile?

– Ich weiß nicht. Was meinst du?

Ich fühlte mich mutlos.

Sie sagte mit einem Lächeln:

– Vielleicht kommt er morgen nicht.

– Vielleicht.

Aber daran glaubte ich nicht mehr.

Um vier Uhr am nächsten Nachmittag klopfte es. Wir wußten, wer es war.

Monsieur Bernardin schwieg. Man sah ihm an, daß unsere mangelnde Gesprächigkeit ihm als der Gipfel der Unhöflichkeit erschien.

Zwei Stunden später ging er wieder.

– Morgen, Juliette, gehn wir zehn vor vier aus dem Haus. Wir machen einen Spaziergang.

Sie lachte laut auf.

Am nächsten Tag, um drei Uhr fünfzig, gingen wir los, zu Fuß. Es schneite. Wir waren glücklich, wir fühlten uns frei. Noch nie hatten wir an einem Spaziergang soviel Freude gehabt.

Meine Frau war zehn Jahre. Sie warf den Kopf in den Nacken, um das Gesicht dem Himmel entgegenzustrecken. Sie sperrte den Mund weit auf und versuchte so viele Flocken wie möglich zu schlucken. Sie gab vor, sie zu zählen. Von Zeit zu Zeit nannte sie mir eine unwahrscheinliche Zahl:

– Hundertfünfundfünfzig.

– Lügnerin!

Im Wald blieben unsere Schritte geräuschlos wie der fallende Schnee. Wir sagten nichts, wir machten wieder Bekanntschaft mit einem Schweigen, das dem Glück gleichkommt.

Die Nacht ließ nicht lange auf sich warten. Die Helligkeit hielt sich dank dem allgegenwärtigen Weiß. Wenn Stille sich zu einem Stoff verdichten könnte, wäre es der Schnee.

Sechs Uhr war vorbei, als wir nach Hause kamen. Die noch frischen Spuren eines einzelnen Menschen führten bis vor die Tür und kehrten dann zum

Nachbarhaus zurück. Wir nahmen sie mit schallendem Gelächter auf, besonders diejenigen Stapfen, die ein langes, vergebliches Warten anzeigten. Wir glaubten darin lesen zu können; wir erkannten genau Monsieur Bernardins verdrossene Miene. Er muß es sehr ungezogen von uns gefunden haben, daß wir nicht da waren, um ihn zu empfangen.

Juliette war sehr ausgelassen. Sie kam mir überreizt vor. Das Zusammentreffen dieses zauberischen Spaziergangs mit dem Mißgeschick des Herrn Doktor hatte sie in einen leichten Rauschzustand versetzt. Ihr war im Leben so wenig begegnet, daß sie auf alles mit einer unerhörten Intensität reagierte.

Nachts schlief sie unruhig; am nächsten Morgen hatte sie Husten. Ich machte mir Vorwürfe: Wie hatte ich nur zulassen können, daß sie ohne Kopfbedeckung im Schnee herumlief und Hunderte von Flocken schluckte?

Es war nichts Ernstes, aber an diesem Tag wieder spazierenzugehen kam nicht in Frage.

Ich machte Kräutertee und brachte ihn ihr ans Bett.

– Ob er heute kommen wird?

Wer »er« war, verstand sich für uns inzwischen von selbst.

– Vielleicht hat es ihn abgeschreckt, daß wir gestern nicht da waren.

– An den anderen Tagen hatten wir um vier im Wohnzimmer Licht. Heute könnten wir es dunkel lassen.

– Gestern hat auch kein Licht gebrannt. Das hat ihn nicht abgehalten zu kommen.

– Sind wir eigentlich verpflichtet, ihm aufzumachen, Émile?

Ich seufzte und dachte mir, daß die Wahrheit eben immer aus unschuldigem Munde spricht.

– Da stellst du eine gute Frage.

– Du hast noch nicht geantwortet.

– Das Gesetz zwingt uns nicht, ihm aufzumachen. Die Höflichkeit aber gebietet es uns.

– Sind wir zur Höflichkeit verpflichtet?

Schon wieder hatte sie einen wunden Punkt getroffen.

– Niemand ist zur Höflichkeit verpflichtet.

– Also?

– Das Problem, Juliette, ist nicht, was unsere Pflicht ist, sondern was in unserer Kraft liegt.

– Ich versteh' nicht.

– Wenn man fünfundsechzig Jahre Höflichkeit hinter sich hat, ist man dann noch imstande, darauf zu pfeifen?

– Sind wir denn immer höflich gewesen?

– Schon daß du mir diese Frage stellst, beweist doch, wie tief unsere Manieren in uns eingewurzelt sind. Wir sind so höflich, daß unsere Höflichkeit uns nicht mehr bewußt wird. Gegen sein Unbewußtes aber kann man nicht ankämpfen.

– Könnte man's nicht mal versuchen?

– Wie?

– Wenn er an die Tür klopft und du bist im Obergeschoß, ist es doch normal, daß du ihn nicht hörst. Besonders in deinem Alter. Es wäre nicht mal grob.

– Warum sollte ich im Obergeschoß sein?

– Weil ich im Bett liege und weil du bei mir sitzt. Das geht ihn ohnehin nichts an. Es ist nichts Unhöfliches daran, im Obergeschoß zu sein.

Es kam mir so vor, als hätte sie recht.

Um vier war ich im Obergeschoß und saß im Zimmer bei der Kranken. Es klopfte an die Tür.

– Juliette, ich höre ihn!

– Das weiß er doch nicht. Du könntest ihn auch nicht hören.

– Ich hör' ihn aber sehr gut.

– Du könntest eingeschlafen sein.

– Zu dieser Zeit?

– Warum nicht? Ich bin krank, und du hast mir Gesellschaft geleistet und bist eingeschlafen.

Mir war nicht mehr wohl in meiner Haut. Die Kehle war mir wie zugeschnürt. Meine Frau hielt meine Hand, wie um mir Mut zu machen.

– Er hört gleich auf.

Da irrte sie sich. Er hörte nicht nur nicht auf, sondern klopfte immer lauter. Das Haus hatte nur zwei Stockwerke; aber um ihn nicht zu hören, hätte ich mindestens im fünften Stock sein müssen.

Die Minuten vergingen. Inzwischen drosch Monsieur Bernardin wie ein Wahnsinniger gegen unsere Tür.

– Er wird sie noch einschlagen!

– Er ist verrückt. Er ist gemeingefährlich.

Er hämmerte immer stärker. Ich stellte mir vor, wie er sich mit seiner gewaltigen Körpermasse gegen die Türfüllung warf, die schließlich nachgeben würde. Keine Tür mehr zu haben, bei dieser Kälte, das wäre unerträglich.

Dann wurde es ganz schlimm: Er schlug nun unaufhörlich zu, in Abständen von weniger als einer Sekunde. Soviel Kraft hatte ich ihm nicht zugetraut. Juliette war leichenblaß geworden; sie ließ meine Hand los.

Es geschah etwas Furchtbares: Augenblicklich

eilte ich die Treppe hinab und machte die Tür auf.

Das Gesicht des Quälgeists war rot angelaufen vor Wut. Ich hatte eine solche Angst, daß ich keinen Laut herausbrachte. Ich wich beiseite, um ihn eintreten zu lassen. Er legte den Mantel ab, dann ging er zu dem Sessel, den er als den seinen betrachtete, und nahm Platz.

– Ich hatte Sie nicht gehört, stotterte ich endlich.

– Ich hab' gewußt, daß Sie da sind. Der Schnee war unberührt.

So viele Worte hintereinander hatte ich von ihm noch nie gehört. Dann schwieg er erschöpft. Ich war entsetzt. Was er soeben verlautbart hatte, bewies, daß er nicht schwachsinnig war. Dafür benahm er sich nun wie ein gefährlicher Verrückter.

Eine Ewigkeit später äußerte er noch einen Satz:

– Gestern waren Sie nicht da.

Der Ton war anklagend.

– Ja. Wir haben einen Spaziergang im Wald gemacht.

Und schon war ich im Begriff, mich zu rechtfertigen! Aus Scham, eine solche Memme zu sein, zwang ich mich, hinzuzufügen:

– Sie haben so laut geklopft…

Man kann sich nicht vorstellen, wieviel Mut diese

paar Worte mich kosteten. Aber unser Nachbar verspürte für sein Teil kein Bedürfnis, sich zu rechtfertigen. Hatte er zu laut geklopft? Na schön, er hatte recht gehabt, denn so hatte er mich ja dazu gebracht, ihm aufzumachen!

Dies war nicht der Tag, an dem ich das Selbstvertrauen aufbringen würde, das nötig war, um zu schweigen.

– Meine Frau hat sich bei dem Spaziergang gestern erkältet. Sie liegt im Bett und hustet ein bißchen.

Schließlich war er ja Arzt. Vielleicht konnte er sich doch als nützlich erweisen. Aber er schwieg.

– Würden Sie sie untersuchen?

– Sie hat sich erkältet, antwortete er gereizt, mit einer Miene, als wollte er sagen: »Sie werden mich doch wegen so was nicht belästigen!«

– Nichts Ernstes, aber in unserm Alter…

Er würdigte mich keiner Antwort mehr. Seine Botschaft war deutlich: Wenn es nicht mindestens eine Meningitis war, durften wir auf seinen Beistand nicht hoffen.

Er schwieg nun wieder. Eine Welle des Zorns packte mich. Was denn! Sollte ich vielleicht zwei volle Stunden mit diesem Idioten verbringen, der aus seinem Stumpfsinn nur aufwachte, wenn es galt, mir die Tür einzuschlagen – und währenddessen meine arme kranke Frau in ihrem Bett allein lassen? O nein! Das ließ ich nicht mit mir machen.

Betont höflich sagte ich zu ihm:

– Sie werden mich entschuldigen, aber Juliette braucht mich jetzt. Sie können sich's, wie Sie wollen, hier im Wohnzimmer bequem machen oder auch mit mir nach oben kommen…

Jeder Beliebige hätte begriffen, daß er verabschiedet wurde. Nur war Monsieur Bernardin eben nicht jeder Beliebige. Ich schwöre, er fragte mich in gekränktem Ton:

– Sie bieten mir keine Tasse Kaffee an?

Ich traute meinen Ohren nicht. Also war die Tasse Kaffee, die wir ihm aus Freundlichkeit jeden Tag angeboten hatten, nun schon etwas, das wir ihm schuldig waren! Mit einem gewissen Schrecken begriff ich, daß alles, was wir ihm seit seinem ersten Besuch gewährt hatten, für uns zur Pflicht geworden war: In seinem primitiven Gehirn erlangte eine nur ein einziges Mal erwiesene Gefälligkeit prompt den Status eines Gesetzes.

Trotzdem, von mir würde er seinen Kaffee nicht bekommen! Das wäre doch die Höhe! Die Amerikaner, habe ich gehört, sagen zu ihren Gästen: »Help yourself.« Aber man ist noch kein Amerikaner, nur weil man es gern wäre. Andererseits hatte ich nicht die Stirn, ihm irgend etwas abzuschlagen. Wenig mutig, wie ich nun einmal bin, fand ich einen Mittelweg:

– Ich habe keine Zeit, Kaffee zu machen. Weil ich Wasser für den Kräutertee meiner Frau aufsetzen muß, kann ich Ihnen bei der Gelegenheit eine Tasse Tee machen.

Beinah hätte ich noch hinzugefügt: »wenn es Ihnen recht ist«. Ich hatte den schlichten Mut, diese Worte wegzulassen.

Nachdem ich ihm seinen Tee gebracht hatte, stieg ich mit dem Kräuteraufguß zu Juliette hinauf, die ganz verkrümmt in ihrem Bett lag und mir zuflüsterte:

– Was hat er nur? Warum hat er wie ein Wilder auf die Tür losgeschlagen?

Ihre Augen waren geweitet vor Angst.

– Ich weiß es nicht. Aber mach dir keine Sorgen, er ist nicht gefährlich.

– Bist du sicher? Du hast doch gehört, mit welcher Kraft er gegen die arme Tür gehämmert hat!

– Er ist nicht gewalttätig. Er ist nur ein ungehobelter Mensch.

Ich erzählte ihr, wie der Mann seinen Kaffee verlangt hatte. Sie mußte lachen.

– Und wenn du ihn allein unten sitzen läßt?

– Ich trau' mich nicht.

– Versuch's mal. Einfach, um zu sehn, wie er reagiert.

– Ich möchte nicht, daß er anfängt, in unseren Sachen zu wühlen.

– Das ist nicht seine Art.

– Und was ist seine Art?

– Paß auf, er ist ein Flegel. Zu einem Flegel darfst du auch ein Flegel sein. Und darum geh nicht wieder hinunter, ich bitte dich! Ich habe Angst, wenn du mit ihm allein bist.

Ich lächelte.

– Du hast weniger Angst, wenn du da bist, um mich zu beschützen?

In diesem Augenblick war ein lautes Poltern zu hören. Dann ein zweites, ähnliches Geräusch, dann ein drittes. Der Rhythmus verriet uns, was da vorging: Der Feind kam die Treppe herauf. Die Stufen, die an unser Leichtgewicht gewöhnt waren, stöhnten auf unter Monsieur Bernardins Masse.

Juliette und ich, wir sahen uns an wie zwei in der Speisekammer eines Menschenfressers eingeschlossene Kinder. Flucht war nicht möglich. Schwer und langsam kamen die Schritte näher. Ich hatte die Tür offengelassen; ich dachte nicht daran, sie zu schließen: Was hätte eine solche halbherzige Verteidigung uns genützt? Wir waren verloren.

Zugleich war mir bewußt, wie lächerlich unsere Angst war. Wir hatten nicht ernsthaft etwas zu befürchten. Unser Nachbar war eine Plage, gewiß, aber irgendeinen Schaden würde er nicht anrichten. Das änderte nichts an unserem Entsetzen. Schon spürten wir seine Gegenwart. Um in meiner Rolle zu bleiben, nahm ich mit nachdenklicher Miene die Hand der Kranken.

Da stand er. Er betrachtete die Szene: der besorgte Gatte, bei seiner leidenden Frau am Bettrand sitzend. Ich mimte Überraschung:

– Ach, Sie sind heraufgestiegen!

Als ob ich den Lärm auf der Treppe hätte überhören können!

Sein Gesichtsausdruck widersetzte sich der Analyse. Er schien über unsere schlechten Manieren entrüstet und zugleich argwöhnisch zu sein: Juliette stellte sich womöglich krank, nur um die Höflichkeitspflichten gegen ihn versäumen zu können.

Seufzend brachte sie eine komische Dankesäußerung heraus:

– Ach, Herr Doktor, wie nett von Ihnen! Aber ich glaube, ich habe mich bloß ein bißchen verkühlt.

Verblüfft trat er näher und legte ihr die Hand auf die Stirn. Ich betrachtete ihn mit einem gewissen Erstaunen: Wenn er meine Frau untersuchen konnte, dann mußte sein Gehirn ja irgendwie funktionieren! Was wohl dabei herauskommen würde?

Schließlich hob sich die dicke Hand wieder. Er sagte nichts. Eine Sekunde lang befürchtete ich das Schlimmste.

– Nun, Herr Doktor?

– Nichts. Sie hat nichts.

– Aber sie hustet doch!

– Sicher ist der Hals ein bißchen entzündet. Aber sie hat nichts.

Diese Aussage, die ein gewöhnlicher Arzt in beruhigendem Ton vorgebracht hätte, klang aus seinem Mund wie eine Beschimpfung: »Und wegen so einer Bagatelle weigern Sie sich, Ihre Pflichten als Gastgeberin gegen mich zu erfüllen?«

Ich gab mir den Anschein, als hätte ich nichts davon bemerkt.

– Danke, danke, Herr Doktor! Sie beruhigen mich sehr. Wieviel bin ich Ihnen schuldig?

Es könnte seltsam erscheinen, daß ich ihn dafür bezahlen wollte, daß er einmal die Hand auf die Stirn meiner Frau gelegt hatte: Ich wollte ihm vor allem nichts schuldig bleiben.

Er zuckte unwirsch die Achseln. Und auf diese Weise entdeckte ich an unserem Quälgeist einen Charakterzug – daß er überhaupt einen Charakterzug hatte, erstaunte mich. Geld interessierte ihn nicht. Konnte es sein, daß er kurze Anwandlungen kannte, in denen er, wenn nicht großzügig, so doch von Gemeinheit frei war?

Seiner Rolle getreu, beeilte er sich, jede Spur eines möglichen günstigen Eindrucks zu verwischen. Er marschierte durchs Zimmer und setzte sich uns gegenüber auf einen Stuhl.

Juliette und ich wechselten einen ungläubigen Blick: Er konnte uns doch nicht bis in unser Schlafzimmer hinein verfolgen? Die Situation war ebenso peinlich wie ausweglos.

Selbst wenn ich fähig gewesen wäre, jemanden vor die Tür zu setzen: wie hätte ich mit ihm verfahren sollen? Wo er noch dazu soeben meine Frau kostenlos untersucht hatte!

Juliette wagte schließlich einen leisen Protest:

– Herr Doktor, Sie… Sie wollen doch da nicht sitzen bleiben?

Sein finsteres Gesicht zeigte eine Spur von Entrüstung. Was? Womit wagte man ihm zu kommen?

– Hier ist kein passender Ort, um Sie zu empfangen. Und Sie würden sich auch langweilen.

Das schien ihm einzuleuchten. Aber er stellte eine niederschmetternde Bedingung:

– Wenn ich ins Wohnzimmer gehn soll, müssen Sie mitkommen.

Vergeblich wandte ich ein:

– Ich kann Juliette nicht allein lassen.

– Sie ist nicht krank.

Es war unvorstellbar! Ich begnügte mich damit, zu wiederholen:

– Ich kann sie nicht allein lassen!

– Sie ist nicht krank.

– Aber Herr Doktor, sie ist so empfindlich! In unserem Alter muß man vorsichtig sein.

– Sie ist nicht krank.

Ich sah Juliette an. Sie schüttelte resigniert den Kopf. Wenn ich doch nur die Kraft gehabt hätte, zu erklären: »Ob krank oder nicht, ich bleibe bei ihr! Gehn Sie hinaus!« Mir blieb nichts anderes, als zu begreifen, wie sehr ich der Rasse der Schwächlinge angehörte. Ich verabscheute mich selbst.

Ich gab mich geschlagen. Ich stand auf und stieg mit Monsieur Bernardin ins Wohnzimmer hinab. Meine arme hüstelnde Frau blieb im Schlafzimmer allein.

Der Eindringling warf sich in seinen Sessel. Er griff nach der Tasse Tee, die ich ihm gemacht hatte, bevor ich zu Juliette hinaufgegangen war. Ich schwöre, er hielt mir die Tasse hin und sagte:

– Jetzt ist er kalt.

Für einen Augenblick war ich fassungslos. Dann schüttelte es mich vor Lachen: Das war ja enorm! So was von Dummdreistigkeit, unvorstellbar! Ich lachte und lachte, und die Verkrampfung einer halben Stunde löste sich in Heiterkeit auf.

Ich nahm dem Dicken, den mein Gelächter ärgerte, die Tasse ab und ging damit zur Küche.

– Ich mache Ihnen gleich neuen Tee.

Als es sechs war, ging er. Ich stieg zum Schlafzimmer hinauf.

– Ich hab' dich schallend lachen gehört.

Ich erzählte ihr von seiner Beschwerde über den kalten Tee. Sie mußte auch lachen. Danach schien sie ratlos.

– Émile, was machen wir bloß?

– Ich weiß nicht.

– Wir dürfen ihn nicht mehr reinlassen.

– Du hast doch gesehn, was dann passiert ist. Er schlägt die Tür ein, wenn ich ihm nicht aufmache.

– Na schön, laß ihn sie einschlagen! Dann haben wir einen wunderbaren Anlaß zum Streit mit ihm.

– Aber die Tür wäre kaputt. Und das im Winter!

– Wir reparieren sie.

– Es nützt nichts, wenn sie kaputtgeht, denn mit ihm Streit zu haben ist unmöglich. Außerdem ist es besser, wir verstehn uns mit ihm. Er ist unser Nachbar.

– Na und?

– Es ist besser, man versteht sich mit seinen Nachbarn.

– Warum?

– Das ist so üblich. Und dann vergiß auch nicht, daß wir hier allein sind. Obendrein ist er Arzt.

– Wir wollten doch allein sein! Du sagst, er ist Arzt; ich sage dir, er wird uns noch krank machen.

– Übertreib nicht. Er ist ungefährlich.

– Hast du nicht gesehn, in was für eine Angst er uns in wenigen Tagen schon versetzt hat? In welcher Verfassung werden wir in einem Monat oder in sechs Monaten sein?

– Vielleicht hört er ja damit auf, wenn der Winter vorüber ist.

– Du weißt genau, er hört nicht auf. Er wird jeden Tag kommen, jeden Tag von vier bis sechs!

– Vielleicht verliert er mal die Lust dran.

– Er verliert nie die Lust.

Ich seufzte.

– Hör mal, das ist zwar ärgerlich. Trotzdem, wir

haben doch ein schönes Leben hier, oder? So wie wir es uns immer gewünscht haben. Das lassen wir uns durch so eine lächerliche Kleinigkeit nicht verderben. Der Tag hat vierundzwanzig Stunden; zwei Stunden sind nur ein Zwölftel des Tages: so gut wie nichts. Jeden Tag haben wir noch zweiundzwanzig frohe Stunden. Wie könnten wir uns da beklagen? Hast du mal dran gedacht, daß es Menschen gibt, die keine zwei Stunden am Tag glücklich sind?

– Soll das ein Grund sein, sich belästigen zu lassen?

– Der Anstand zwingt uns, unser Leben mit dem anderer Menschen zu vergleichen. Wir haben's hier doch traumhaft. Ich würde mich schämen zu protestieren.

– Das ist ungerecht. Du hast vierzig Jahre lang gearbeitet, für ein kleines Gehalt. Unser jetziges Glück ist bescheiden und wohlverdient. Den Preis dafür haben wir schon gezahlt.

– So darfst du nicht argumentieren. Nichts ist jemals wohlverdient.

– Inwiefern soll uns das hindern, uns zu wehren?

– Uns zu wehren gegen einen armen Dummkopf, einen verfetteten Grobian? Besser, wir lachen drüber, nicht?

– Ich kann nicht drüber lachen.

– Du irrst dich. Es ist leicht, drüber zu lachen. Von nun an lachen wir über Monsieur Bernardin.

Am nächsten Tag war Juliette wieder auf den Beinen. Um vier Uhr nachmittags klopfte es. Ich ging aufmachen, mit einem Lächeln auf den Lippen. Wir hatten beschlossen, unserem Gast den Spott zuteil werden zu lassen, den er verdiente.

– Oh, welche Überraschung! rief ich aus, als ich unseren Quälgeist erkannte.

Mit brummiger Miene trat er ein und gab mir seinen Mantel. Voll Begeisterung machte ich weiter:

– Juliette, du wirst es nie erraten, wer gekommen ist!

– Wer ist es denn? rief sie von oben die Treppe herab.

– Es ist der vortreffliche Palamède Bernardin, unser liebenswürdiger Nachbar.

– Der Herr Doktor? Na so was!

An ihrer Stimme erkannte ich, daß sie sich das Lachen verkneifen mußte. Sie nahm seine dicke Pranke zwischen beide Hände und drückte sie sich ans Herz.

– Ah, danke, Herr Doktor! Fühlen Sie, ich bin geheilt. Das verdanke ich nur Ihnen.

Dem Dicken schien nicht wohl zu sein in seiner

Haut. Er riß seine Hand los und schritt entschlossen zu seinem Sessel. Er ließ sich hineinfallen.

– Möchten Sie eine Tasse Kaffee?

– Ja.

– Was könnte ich Ihnen sonst noch anbieten? Wissen Sie, daß Sie mir gestern das Leben gerettet haben? Womit könnte ich Sie erfreuen?

Wehrlos saß er da und gab keine Antwort.

– Ein Stück Mandelkuchen? Apfeltorte?

Nichts dergleichen hatten wir im Haus. Ich fragte mich, ob Juliette nicht übertrieb. Wenigstens schien sie sich zu amüsieren. Sie zählte weiter imaginäre Leckereien auf:

– Ein großes Stück englischen Früchtekuchen? Eine Meringue? Schottischen Pudding? Eine Cassis-Schale? Schokoladenéclairs?

Ich hatte Zweifel, ob sie solche Desserts je in ihrem Leben auch nur gesehen hatte. Der Arzt begann wieder seine ärgerliche Miene aufzusetzen. Nach einem langen erbitterten Schweigen sagte er:

– Kaffee!

Meine Frau, ohne seine Ungeschliffenheit zu beachten, war untröstlich:

– Wirklich gar nichts? Wie schade! Wie gern würde ich Sie verwöhnen! Dank Ihnen bin ich wie neugeboren, Herr Doktor!

Leichtfüßig wie ein junges Reh huschte sie in die Küche. Was hätte sie nur gemacht, wenn unser Gast um eine dieser Süßigkeiten gebeten hätte? Scheinheilig setzte ich mich zu ihm.

– Mein lieber Palamède, was halten Sie von der chinesischen Taxonomie?

Er sagte nichts. Er zeigte auch nicht das flüchtigste Erstaunen. Seinen müden Blick konnte man so deuten: »Jetzt muß ich mir auch noch das lästige Geschwätz dieses Individuums anhören.«

Ich beschloß, es so erdrückend wie möglich zu machen:

– Borges sagt dazu Dinge, bei denen einem schwindlig wird. Seien Sie nicht böse, wenn ich Ihnen die berühmte Stelle aus den *Inquisiciones* zitiere: »Auf den weit zurückliegenden Blättern einer gewissen chinesischen Enzyklopädie mit dem Titel ›Himmlischer Warenschatz wohltätiger Erkenntnisse‹ steht geschrieben, daß die Tiere sich wie folgt gruppieren: a) Tiere, die dem Kaiser gehören, b) einbalsamierte Tiere, c) gezähmte, d) Milchschweine, e) Sirenen, f) Fabeltiere, g) herrenlose Hunde, h) in diese Klassifikation eingeschlossene, i) solche, die sich wie toll gebärden, k) die mit einem ganz feinen Pinsel aus Kamelhaar gezeichnet sind, l) und so weiter, m) die eben einen Wasserkrug zerbrochen haben, n) die von weitem wie Fliegen aussehen.« Muß eine solche Klassifikation einen Wissenschaftler wie Sie nicht zum Lächeln, wenn nicht gar zu einem herzhaften Gelächter herausfordern?

Ich lachte laut heraus, doch auf möglichst gesittete Art. Monsieur Bernardin blieb wie versteinert.

– Davon abgesehen, kenne ich Leute, die daran überhaupt nichts lächerlich finden. Und soviel ist richtig, daß dieses Beispiel bei all seiner Komik doch das stachlige Problem des taxonomischen Verfahrens verdeutlicht. Es gibt keinen Grund anzunehmen, daß unsere geistigen Kategorien weniger absurd wären als die der Chinesen.

Juliette brachte uns den Kaffee.

– Vielleicht ermüdest du unseren lieben Herrn Doktor mit deinen etwas dunklen Gedanken…

– Man kann nicht Aristoteles gelesen haben, ohne sich über diese Fragen Gedanken gemacht zu haben, Juliette. Und diesen herrlichen Versuch, das Unvereinbare zusammenzudenken, kann man unmöglich lesen, ohne ihn sich einzuprägen.

– Vielleicht solltest du aber dem Herrn Doktor erst mal erklären, wer Aristoteles ist.

– Verzeihen Sie ihr, Palamède, sie hat natürlich vergessen, welche Rolle Aristoteles in der Geschichte der Medizin gespielt hat. Im Grunde ist ja schon die Idee der Kategorien ganz unglaublich. Woher kommt es, daß der Mensch das Bedürfnis hatte, das Wirkliche zu klassifizieren? Ich spreche hier nicht von den Dualismen, die ja nur eine sozusagen natürliche Transposition der ursprünglichen Dichotomie sind, nämlich des Gegensatzes Mann – Weib. In Wahrheit ist der Terminus Kategorie erst von dem Moment an berechtigt, wo mehr als zwei Topoi vorhanden sind. Eine binäre Klassifikation verdient diesen Namen nicht. Wissen Sie, auf wen und welche Zeit die erste ternäre Klassifikation zurückgeht – also die erste Kategorienbildung der Geschichte?

Der Quälgeist trank seinen Kaffee, mit einem Gesicht, als wollte er sagen: »Quatsch du nur!«

– Sie werden es nicht erraten: auf Tachander von Lydien. Stellen Sie sich vor, fast zwei Jahrhunderte vor Aristoteles! Welch eine Demütigung für den Stagiriten! Haben Sie sich mal überlegt, was in Tachanders Kopf vorgegangen sein muß? Zum ersten Mal ist ein Mensch auf den Gedanken gekommen, das Wirkliche in bezug auf eine abstrakte Ordnung zu gliedern – jawohl, eine abstrakte: uns ist dies heute nicht mehr bewußt, aber jeder Teilung durch eine höhere Zahl als zwei liegt die reine Abstraktion zugrunde. Hätte es drei Geschlechter gegeben, so hätte die Abstraktion beim Teilen durch vier begonnen, und so weiter.

Juliette schaute mich bewundernd an.

– Das ist ja außerordentlich! So faszinierend bist du noch nie gewesen.

– Ich habe doch auf einen ebenbürtigen Gesprächspartner gewartet, meine Beste!

– Welch ein Glück, daß Sie gekommen sind, Herr Doktor! Ohne Sie hätte ich nie etwas über diesen Tachander von Lydien erfahren.

– Kommen wir zu diesem ersten Versuch einer Kategorienbildung zurück. Wissen Sie, woraus Tachanders Einteilung bestand? Sie ergab sich aus seinen Beobachtungen des Tierreichs. Denn unser Lydier war so etwas wie ein Zoologe. Er teilte die Tiere in drei Arten ein, nämlich die gefiederten, die behaarten und – halten Sie sich fest! – die hautbedeckten. Zu dieser letzten Klasse gehören die Lurche, die Reptilien, die Menschen und die Fische – ich nenne sie in der Reihenfolge seines Traktats. Ist das nicht wunderbar? Ich liebe diese antike Weisheit, für die der Mensch ein Tier unter anderen ist.

– Ich bin völlig einverstanden, begeisterte sich meine Frau. Der Mensch *ist* ein Tier!

– Sogleich ergeben sich etliche Fragen: Wo ordnet Tachander die Krustentiere und die Insekten ein? Es stellt sich heraus, dies sind für ihn gar keine Tiere! Die Insekten gehören ins Reich des Staubes – ausgenommen die Libelle und der Schmetterling, die er zu den gefiederten Tieren zählt. Was die Krustentiere angeht, so sieht er in ihnen gegliederte Muscheln. Die Muscheln aber gehören ihm zufolge zu den Mineralien. Welch eine Poesie!

– Und die Blumen, wo ordnet er die ein?

– Bring nicht alles durcheinander, Juliette; wir reden von den Tieren. Man kann sich allerdings fragen, wie der Lydier übersehen konnte, daß auch der Mensch behaart ist. Und umgekehrt, daß auch behaarte Tiere etwas haben, das man bei uns eine Haut nennt. Das ist höchst kurios; seine Kriterien sind impressionistisch. Daher haben die Biologen es an Spott nicht fehlen lassen. Niemand will bemerken, was für einen vorbildlosen intellektuellen und metaphysischen Sprung er gemacht hat. Denn sein ternäres System hat nichts von einer triadisch verkleideten Dyade.

– Was ist denn eine triadisch verkleidete Dyade, Émile?

– Na, wenn er zum Beispiel die Tiere in schwere, leichte und mittlere eingeteilt hätte. Hegel ist nichts Besseres eingefallen… Was also hat sich im Gehirn des Lydiers abgespielt, als ihm dieser Gedanke kam? Die Frage bewegt mich zutiefst. Hat er gleich in der ersten Intuition eine Dreiheit von Kriterien erfaßt, oder ist er zunächst von einer gewöhnlichen Dichotomie ausgegangen – Federn und Haare – und hat erst im weiteren Fortgang gemerkt, daß er damit nicht auskam? Nie werden wir's erfahren.

Monsieur Bernardin sah aus wie ein Roßbollen auf dem Parkett. Er war ganz souveräne Verachtung. Aber er saß immer noch wie hingegossen in »seinem« Sessel.

– Die Biologen verlachen ihn zu Unrecht. Gelangt die Zoologie heute denn zu intelligenteren Einteilungen? Sehn Sie, Palamède, als Juliette und ich beschlossen haben, aufs Land zu ziehen, habe ich mir ein Buch über Ornithologie gekauft, sozusagen um mich mit meiner neuen Umgebung ein wenig vertrauter zu machen.

Ich stand auf, um das Werk zu holen.

– Hier ist es: *Vögel der Welt*, aus dem Verlag Bordas, 1994. Es beschreibt die Vögel, indem es mit den neunundneunzig Familien der Nicht-Sperlingsartigen anfängt und mit den vierundsiebzig Familien der Sperlingsvögel aufhört. Dies ist ein albernes Verfahren. Ein Geschöpf zu beschreiben, indem man zunächst mal alles sagt, was es nicht ist, hat etwas Schwindelerregendes. Wo käme man da hin, wenn man zuerst alles angeben wollte, was etwas nicht ist?

– Stimmt! sagte meine Frau fasziniert.

– Stellen Sie sich vor, lieber Freund, ich setzte es mir in den Kopf, Sie zu beschreiben, indem ich zuerst alles aufzähle, was Sie nicht sind! Es wäre Wahnsinn. »Alles, was nicht Palamède Bernardin ist.« Das würde eine lange Liste, denn es gibt ja so vieles, was Sie nicht sind. Womit sollte man anfangen?

– Zum Beispiel könnte man sagen, daß der Herr Doktor kein gefiedertes Tier ist.

– Freilich. Und er ist auch keine Nervensäge, kein Flegel und kein Idiot.

Juliette bekam ganz große Augen. Sie wurde blaß und hielt sich die Hand vor den Mund, wie um ein Lachen zurückzuhalten.

Das Gesicht unseres Gastes dagegen verriet nichts. Bei meiner letzten Äußerung hatte ich seine Züge genau beobachtet. Nichts, auch nicht das flüchtigste Aufblitzen der Augen, keine Bewegung der Lider. Dennoch hatte er zweifellos alles gehört. Ich muß gestehen, er machte mir Eindruck.

Nun war es an mir, nicht aus dem Tritt zu kommen. Ich redete aufs Geratewohl weiter:

– Es ist merkwürdig, daß die Probleme der Taxonomie auf dem Umweg über die Biologie deutlich geworden sind. Gewiß, dies könnte sich ganz logisch so ergeben haben: Niemand wird sich die Mühe machen, Kategorien für so wenig variable Dinge wie zum Beispiel den Donner zu erfinden. Das Bedürfnis zu klassifizieren erwächst angesichts des Vielfältigen und Verschiedenartigen. Und was wäre verschiedenartiger und vielfältiger als das Tier- und Pflanzenreich? Aber man könnte auch noch tiefere Verwandtschaften erkennen...

Ich merkte plötzlich, daß mir diese Verwandtschaften, über die ich soviel nachgedacht hatte, entfallen waren. Ich war nicht fähig, mir das Ergebnis meiner zwanzigjährigen Überlegungen in Erinnerung zu rufen. Aber am vorigen Abend hatte ich es noch gewußt. Es mußte Monsieur Bernardins Anwesenheit sein oder vielmehr das Bedrückende, das von ihm ausging, was mir das Hirn verstopfte.

– Was für Verwandtschaften? erkundigte sich meine Frau.

– Ich bin da noch bei Hypothesen, aber ich bin sicher, es gibt welche. Was halten Sie davon, Palamède?

Wir hätten lange warten können, er antwortete nicht. Ich konnte nicht umhin, ihn zu bewundern. Ob schwachsinnig oder nicht, er besaß den Mut oder die Frechheit, die ich nie besessen hatte: keine Antwort zu geben, auch kein »ich weiß nicht« und kein Achselzucken. Absolute Teilnahmslosigkeit. Von seiten eines Mannes, der sich stundenlang bei mir festsetzte, grenzte das an ein Wunder. Ich war fasziniert. Und ich beneidete ihn um diese Fähigkeit. Er wirkte nicht mal verlegen – wir waren es! Gipfel der Unverschämtheit! Allerdings wunderte ich mich zu Unrecht: Würden die Flegel sich ihrer Manieren schämen, blieben sie keine Flegel. Ich ertappte mich bei dem Gedanken, wie herrlich es wäre, selbst einer zu sein. Wie leicht wäre dann alles! Man könnte sich jede Taktlosigkeit erlauben und die Schuld den anderen zuschieben, als wären sie es, die sich schlecht benommen hätten.

Die schöne Unbekümmertheit, mit der ich das Gespräch begonnen hatte, war bald dahin. Den Schein konnte ich noch wahren, indem ich unablässig über Gott weiß welchen Vorsokratiker monologisierte, doch ich merkte, ich war nicht mehr Herr der Lage.

Ich weiß nicht, ob ich es mir nur einbildete, aber mir schien, über das Gesicht unseres Nachbarn kam ein Ausdruck, den ich etwa so hätte übersetzen können: »Warum gibst du dir so viel Mühe? Ich habe gewonnen, du kannst dich darüber nicht täuschen.

Die schlichte Tatsache, daß ich dich jeden Tag zwei Stunden in deinem Wohnzimmer belagere, sagt doch schon alles. So gescheit du auch daherredest, gegen diesen handfesten Beweis bist du ohnmächtig: Ich sitze bei dir und öde dich an.«

Um sechs Uhr ging er.

Ich konnte nicht einschlafen. Juliette merkte es. Sie muß sich gedacht haben, was mir durch den Kopf ging, denn sie sagte:

– Du warst sehr stark heute nachmittag.

– Zuerst kam es mir auch so vor. Aber jetzt bin ich nicht mehr so sicher.

– All diese philosophischen Ausführungen, die darauf hinausliefen, ihm zu verstehen zu geben, daß er eine Nervensäge ist! Beinah hätte ich applaudiert.

– Mag sein. Aber was hat es genützt?

– Du hast ihm doch die Meinung gesagt.

– Einem Menschen wie ihm kann man nicht die Meinung sagen.

– Du hast doch gemerkt, daß er nicht imstande war, dir zu antworten.

– Du hast doch gemerkt, daß das Ganze uns peinlich war und nicht ihm. Ihm ist nichts peinlich.

– Woher willst du wissen, was innerlich in ihm vorgeht?

– Angenommen, es geht irgendwas in ihm vor, ändert das doch nichts an unserem Problem: Letzten Endes sitzt er immer noch bei uns im Zimmer.

– Jedenfalls, ich habe mich gut amüsiert.

– Um so besser.

– Und morgen geht's weiter?

– Ja. Denn etwas anderes können wir nicht tun. Ich glaube nicht, daß deine unglaubhaften Gunstbezeigungen und meine gelehrten Ausschweifungen ihn am Ende vertreiben werden. Aber wenigstens haben sie den Vorteil, daß wir uns dabei amüsieren.

Soweit war es gekommen.

Das Gute an Belästigungen ist, daß sie einen in die Enge treiben. Ich, der ich noch nie zur Introspektion geneigt hatte, ertappte mich dabei, wie ich mein Innerstes erforschte, als hoffte ich, eine unausgeschöpfte Kraft darin zu finden.

Obwohl ich nichts dergleichen entdeckte, erfuhr ich doch einiges über mich selbst. Zum Beispiel hatte ich nicht gewußt, was für ein Hasenfuß ich war. In meinen vierzig Jahren am Gymnasium hatte ich nie den kleinsten Krach durchstehen müssen. Die Schüler respektierten mich. Ich vermute, ich besaß eine Art natürlicher Autorität. Aber ich war im Irrtum, wenn ich deshalb glaubte, einer von den

Starken zu sein. In Wirklichkeit gehörte ich nur zu den Wohlerzogenen. Unter ihnen hatte ich leichtes Spiel. Aber nun, wo ich es einmal mit einem Flegel zu tun hatte, bekam ich meine Grenzen gezeigt.

Ich suchte Erinnerungen zusammen, die mir nützlich sein könnten; ich fand viele, die es nicht waren. Die Abwehrsysteme unseres Geistes sind unbegreiflich: Wir erwarten Hilfe von ihm, doch anstatt sie zu gewähren, speist er uns mit gefälligen Bildern ab. Und letzten Endes hat er damit nicht unrecht: Die Bilder helfen uns zwar nicht weiter, trösten uns aber für den Augenblick. Das Gedächtnis verhält sich wie der Krawattenhändler in der Wüste: »Wasser wollen Sie? Nein, aber hier habe ich eine große Auswahl an Krawatten.« In unserem Falle hieß es: »Wie entledigt man sich eines Quälgeists? Keine Ahnung, aber denk doch mal an die schönen Herbstrosen, die dich vor ein paar Jahren so entzückt haben…«

Juliette mit zehn Jahren. Wir waren Stadtkinder. Mit zehn Jahren hatte meine Frau die längsten Haare in der ganzen Schule. Der Schimmer und die Farbe waren wie von Saffianleder. Wir waren schon seit vier Jahren Mann und Frau. Unsere Ehe wurde von aller Welt anerkannt, zuallererst von unseren

Eltern – besonders meinen, die in solchen Dingen großzügig dachten.

Manchmal luden sie meine Frau ein, bei uns zu übernachten. Das Umgekehrte geschah nie, denn ihre Eltern fanden, daß es dazu noch »zu früh« sei. Diese Einschränkung war mir unbegreiflich; ihnen blieb doch nicht unbekannt, daß ihre Tochter die Nacht oft bei mir verbrachte. Die Übertretung war also in meinem Elternhaus erlaubt, aber nicht in ihrem. Das schien mir seltsam, aber ich sagte nichts dazu, aus Sorge, Juliette zu verletzen.

Meine Eltern waren nicht reich: Wir hatten eine Dusche, aber kein großes Badezimmer. Aus diesem Grund bleibt eine Badewanne für mich immer der Inbegriff von Luxus. Das Duschzimmer war ungeheizt, und ich habe daran eine Erinnerung, von der ich nur schwer verstehen kann, warum sie mir so gefällt. Seit Juliette und ich Mann und Frau waren, wuschen wir uns zusammen, ohne daß mich dies im geringsten verwirrte. Die Nacktheit meiner Frau war eine Naturerscheinung wie Regen oder ein Sonnenuntergang, und es wäre mir nie in den Sinn gekommen, darin etwas Erotisches zu sehen.

Außer im Winter. Abends, bevor wir schlafen gingen, duschten wir zusammen. In diesem eiskalten Zimmer mußten wir uns entkleiden: ein Aben-

teuer. Jedesmal wenn wir ein Kleidungsstück ableg-
ten, stießen wir ein Geheul aus wegen der Kälte, die
nun tiefer in uns eindrang. Und wenn wir nackt wie
die Frösche waren, hörte man nur noch einen einzigen langgezogenen, frostklirrenden Schrei.

Wir schlüpften hinter den Vorhang, und ich
drehte den Hahn auf. Das Wasser kam zuerst mit
arktischer Temperatur, was neues Gebrüll her-
vorrief. Meine unreife Gattin wickelte sich in den
Plastikvorhang, um sich zu schützen. Dann, einen
Augenblick später, begann die Dusche kochenden
Regen zu speien, und wir schrien unseren Schreck
mit schrillem Gelächter heraus.

Ich war der Mann, und das Einstellen der Wasser-
temperatur war Männersache. Es war sehr schwierig, denn wenn man den Hahn nur im mindesten
streifte, wechselte der Guß von siedendheiß zu eis-
kalt oder umgekehrt. Ich mußte wenigstens zehn
Minuten herumprobieren, um die erträgliche Mitte
zu finden. Währenddessen wartete Juliette, in ihren
Plastikpeplos gehüllt, und lachte vor Entsetzen bei
jedem Umschlagen der Temperatur.

Wenn das Wasser richtig war, streckte ich die
Hand nach ihr aus, damit sie zu mir unter den Strahl
kam. Der Vorhang entrollte sich und gab ihre weiße,
zehnjährige Magerkeit preis, umhangen von einem

gewaltigen fuchsroten Haarschopf. Ihre Zierlichkeit raubte mir den Atem.

Sie kam und schmiegte sich unter das flüssige Rutenbündel; sie stöhnte vor Wohlgefühl, weil ich die Temperatur so wundervoll eingestellt hatte. Ich nahm ihr langes Haar und durchtränkte es; ich sah mit Erstaunen, wie es unter dem Wasser seine Fülle verlor. Ich drückte es zusammen, als wollte ich ein Tau daraus machen. Ihr Rücken in seiner ganzen Blässe war mir zugekehrt, mit den spitz vortretenden Schulterblättern, die wie angelegte Flügel aussahen. Ich nahm ein Stück Seife und rieb es ihr durchs Haar, bis es schäumte. Ich türmte das Haar auf ihren Schädel und knetete daraus eine Krone, die größer war als ihr Kopf. Dann seifte ich ihren Körper ein. Wenn meine Hand zwischen ihren Schenkeln entlangglitt, schrie sie durchdringend, weil es sie kitzelte.

Anschließend spülten wir uns gegenseitig stundenlang ab. Wir fühlten uns zu wohl unter dem warmen Regen, als daß wir Lust gehabt hätten, ihn zu verlassen. Aber irgendwann mußte es sein. Ich drehte den Hahn mit einem Ruck zu, meine Frau zog den Vorhang auf, und ein Schwall kalte Luft drang auf uns ein. Wir heulten zusammen auf und stürzten uns auf die Handtücher.

Juliette lief blau an, und ich mußte sie abrubbeln. Sie lachte und versicherte zähneklappernd: »Ich sterbe!« Sie streifte ihr langes weißes Nachthemd über und befahl mir, so schnell wie möglich ins Bett zu kommen, um sie zu wärmen.

Ich kam ins Zimmer und sah nichts mehr von ihr als die nassen Haare; sie waren das einzige greifbare Zeichen ihrer Anwesenheit, denn ihr dünner Körper wölbte die Bettdecke nicht auf.

Ich schlüpfte neben sie und sah in ihrem Gesicht, daß sie zu Späßen aufgelegt war. »Mir ist kalt!« sagte sie. Da nahm ich sie in die Arme, drückte sie fest an mich und behauchte ihr den Hals mit warmer Luft.

Darum sind meine einzigen Kindheitserinnerungen, die man als erotisch bezeichnen könnte, mit dem Winter verknüpft. Sie erstaunen mich durch den steten Wechsel zwischen Lust und Schmerz: als ob erst das Leiden unter der Kälte nötig gewesen wäre, damit ich die Reize meiner zehnjährigen Frau nicht nur bewundern lernte, sondern auch Mittel und Wege fand, mich an ihnen zu erfreuen.

Heute begreife ich, daß dies die besten Erinnerungen aus meiner Kindheit und daher auch aus meinem Leben sind.

Warum zum Teufel hatte erst ein Quälgeist kommen müssen, damit ich im Gedächtnis einen solchen Schatz wiederfand?

Juliettes Haar war nun weiß, und sie trug es kurz geschnitten. Davon abgesehen, hatte sie sich nicht verändert. Nichts an ihr erinnerte ans Altwerden. Vielmehr schien sie von einer langen Krankheit genesen zu sein, bei der sie ihre Mähne eingebüßt hatte.

Was von ihrem Haar geblieben war, hatte eine wundervolle, künstlich wirkende Farbe: das bläuliche Weiß eines romantischen Ballettröckchens.

Und es war samtweich, von einer Feinheit, die nicht von dieser Welt zu sein schien. Selbst der Flaum auf dem Kopf eines Säuglings wäre borstiger gewesen. So mußte Engelshaar sich anfühlen.

Engel haben keine Kinder, und Juliette hatte auch keine. Sie ist ihr eigenes Kind – und meines.

Man kann sich nicht vorstellen, wie langsam die Tage verstreichen. Alle Welt behauptet, die Zeit verginge schnell. Es stimmt nicht.

In diesem Januar stimmte es weniger denn je. Genauer gesagt, jede Periode des Tageslaufs hatte ihr eigenes Tempo: Die Abende lang und geruhsam, die Morgen kurz und hoffnungsvoll. Zu Beginn des

Nachmittags beschleunigte eine unausgesprochene Angst den Minutentakt zu einem Wirbel. Und dann, um vier Uhr, blieb die Zeit stehen.

Es war schlecht eingeteilt: Der schmale Streifen Zeit, der Monsieur Bernardin zufiel, wurde schließlich zum Hauptteil unseres Tageslaufs. Wir wagten es uns nicht einzugestehen, aber wir waren sicher, in diesem Punkt gleicher Meinung zu sein.

Ich hatte die Aufgabe des heldenmütigen Widerstands übernommen. Da unser Gast uns belästigte und gar nichts sagte – war es da nicht logisch, daß ich ihn mit einem Schwall pausenlosen und nichtssagenden Geredes überschüttete? Pausenlos, damit ich mich nicht langweilte, und nichtssagend, damit ich ihn langweilte.

Ich muß gestehen, daß ich mich gelegentlich dabei ertappte, wie ich an dieser Übung Vergnügen fand. Ich, der ich in Gesellschaft nie viel geredet hatte, sah mich nunmehr dazu gezwungen – sofern man Monsieur Bernardin als Gesellschaft bezeichnen konnte. Meine Erfahrung als Lehrer kam mir dabei zugute, aber dies war etwas ganz anderes als der Unterricht im Gymnasium: Dort gab ich mir Mühe, die Aufmerksamkeit der Schüler festzuhalten; hier, in meinem Wohnzimmer, versuchte ich im Gegenteil so uninteressant wie möglich zu sein.

Auf diese Weise machte ich eine unverhoffte Entdeckung: Es ist viel unterhaltsamer, andere zu langweilen, als sie mitzureißen. Wenn ich meiner Klasse einen lebhaften Eindruck von Cicero zu geben versuchte, kam es vor, daß ich innerlich ein Gähnen unterdrücken mußte. Wenn ich dagegen unseren Quälgeist mit unverdaulichen Brocken meiner Gelehrsamkeit überhäufte, konnte ich nicht umhin zu frohlocken. Ich begriff endlich, warum akademische Vorlesungen fast immer einschläfernd sind.

Da ich in der Rolle des Anöders noch ungeübt war, hatte ich manche Aussetzer, in denen mir nichts einfiel. Ich überspielte sie, so gut ich konnte. Eines Tages, als ich eben eine Stunde lang über Hesiod gefaselt hatte, geriet ich wieder in ein solches Gedankenloch. Der Dämon machte es sich zunutze, um mir eine indiskrete Frage einzuflüstern:

– Und Madame Bernardin?

Der Nachbar ließ sich Zeit mit einer Reaktion, und dieses Mal konnte ich ihn verstehen: Nach seiner Frau gefragt zu werden, nachdem man fünf Sekunden zuvor noch mit Hesiod traktiert wurde, das konnte einen schon ein wenig aus dem Gleichgewicht bringen.

Tatsächlich antwortete er mir überhaupt nicht. Er schaute mich nur entrüstet an. Aber daraus machte ich mir nichts mehr, denn inzwischen hatte ich eine allgemeingültige Wahrheit erfaßt: Palamède schaute nie anders als verdrossen oder mißbilligend drein.

Ich beharrte auf meiner Frage:

– Ja. Sie wissen doch, wie wir uns jeden Tag auf Ihren Besuch freuen. Unsere Freude wäre noch größer, wenn Ihre Frau uns die Ehre erwiese, mit Ihnen zu kommen.

In Wahrheit sagte ich mir, daß die Situation im Beisein seiner besseren Hälfte auch nicht schlimmer werden könnte. Und da mein Vorschlag unserem Gast nicht zu gefallen schien, gefiel er mir um so besser.

– Ich kenne doch Ihr sprichwörtliches Feingefühl, Palamède. Was halten Sie davon, wenn Sie morgen nachmittag mit ihr zum Tee oder Kaffee kommen?

Schweigen.

– Juliette würde sich über weibliche Gesellschaft freuen. Wie heißt Madame Bernardin mit Vornamen?

Fünfzehn Sekunden stummes Nachdenken.

– Bernadette.

– Bernadette Bernardin?

Ich brach in ein idiotisches Gelächter aus und war glücklich über meine eigene Ungezogenheit.

– Palamède und Bernadette Bernardin. Ein seltsamer Vorname, vereint mit einem banalen, aber iterativen. Herrlich!

Nun geschah etwas Unerwartetes: Unser Nachbar nahm Stellung.

– Sie kommt nicht.

– Oh, Verzeihung, ich habe Sie geärgert! Bitte verzeihen Sie mir. Ihre Vornamen sind reizend.

– Nicht deswegen.

Soviel hatte er noch selten gesprochen.

– Ist sie etwa krank?

– Nein.

Im vollen und genüßlichen Bewußtsein meiner Indiskretion fragte ich weiter:

– Verstehen Sie sich gut mit ihr?

– Ja.

– In dem Fall sagen Sie doch einfach ja, Palamède! Also, es ist beschlossen. Und damit Sie gezwungen sind, uns Ihre Frau vorzustellen, laden wir Sie nicht zum Tee ein, sondern zum Abendessen, morgen um acht Uhr. Und, wie Ihnen nicht unbekannt ist, eine Einladung zum Essen abzulehnen wäre sehr unhöflich.

Juliette kam aus der Küche und sah mich entsetzt an. Ich beruhigte sie mit einem Blick und fuhr ohne den Schatten eines Skrupels fort:

– Allerdings, weil wir im Hinblick auf einen so festlichen Anlaß unsere Vorbereitungen treffen müssen, bitten wir Sie, mein lieber Palamède, uns morgen nachmittag nicht zu besuchen. Dies eine Mal sehen wir uns erst am Abend.

Juliette kehrte in die Küche zurück, um ihr unbändiges Gelächter verbergen zu können.

Monsieur Bernardin war tief bestürzt. Gewiß war dies der Grund, warum er zu unserem Erstaunen schon fünf Minuten vor sechs aufbrach. Ich war begeistert.

Vergnügt über sein Mißbehagen und unsere tückische Einladung, lachten wir noch eine ganze Weile schallend.

– Überhaupt, Émile, wir sollten sie jeden Abend einladen. Dann hätten wir die Nachmittage frei.

– Eine Idee! Aber warten wir lieber ab, bis wir herausgefunden haben, was Bernadette Bernardin für eine reizende Person ist. Ich ahne, daß sie berauschend sein muß.

– Schlimmer als ihr Mann kann sie nicht sein.

Ehrlich, wir brannten darauf, sie kennenzulernen.

Juliette wurde schon um fünf Uhr morgens wach. Der erwartete Besuch versetzte sie in solche Aufregung, daß ich mir Sorgen machte.

Mit ihrem Sechsjährigenlächeln fragte sie mich:

– Und wenn wir ihnen nun etwas Ungenießbares vorsetzen?

– Nein. Vergiß nicht, daß wir es ja auch essen müßten.

– Glaubst du?

– Wie ginge es anders? Jedenfalls, das wäre keine gute Politik. Besser das Gegenteil: Wir setzen sie durch übertriebenen Aufwand in Verlegenheit. Wir ziehen uns viel zu elegant an. Und auf den Tisch kommen so erlesene Gerichte, daß ihnen Hören und Sehen vergeht.

– Aber... so elegante Kleidung und was man für ein pompöses Essen alles so braucht, haben wir doch gar nicht.

– Nimm's nicht so wörtlich! Es geht doch nur darum, ihnen zu zeigen, daß wir zu gut für sie sind. Und das sind wir allemal.

Und wir zeigten es ihnen. Mit einem wahren Fanatismus wurde das Wohnzimmer geputzt und gewienert. Den Nachmittag verbrachten wir mit Küchenvorbereitungen. Abends kleideten wir uns an, beide so unpassend wie möglich. Juliette entschied sich für ein hautenges Kleid aus schwarzem Samt, das ihre zierliche Figur betonte.

Pünktlichkeit, so heißt es, ist die Höflichkeit der

Könige. Aber was wäre von einem König zu sagen, bei dem dies die einzige Form von Höflichkeit wäre? Nun, er könnte unser Nachbar sein. Der war immer pünktlich, auf die Minute.

Punkt acht Uhr klopfte es an die Tür.

Monsieur Bernardin erschien uns schlank und gesprächig. War er abgemagert, hatte er sprechen gelernt? Nicht im mindesten.

Aber nun hatten wir seine Frau kennengelernt.

Es ist schon lange her, da hatten wir uns *Satyricon* von Fellini angesehen. Juliette hatte meine Hand nicht losgelassen, als liefe da vor uns die *Wiederkehr der lebenden Toten* ab. In dem Augenblick, wo der Hermaphrodit in der Grotte entdeckt wurde, hatte ich gemeint, sie würde aus dem Saal laufen, solche Angst hatte sie gehabt.

Als Madame Bernardin eintrat, stockte uns der Atem. Sie war ebenso beängstigend wie Fellinis Geschöpf. Sie sah dem Hermaphroditen zwar nicht im mindesten ähnlich, schien aber wie er einem Grenzbereich des Menschlichen anzugehören.

Der Nachbar war über die Schwelle getreten und hatte dann die Hand nach draußen ausgestreckt. Er hatte etwas Gewaltiges, Langsames hinter sich her durch die Tür gezogen. Es handelte sich um einen

Fleischberg, der ein Kleid trug, oder vielmehr, der mit einem Stoff umwickelt war.

Wir mußten dem Augenschein glauben: Da sonst nichts anderes mit dem Doktor kam, war zu folgern, daß diese Protuberanz Bernadette Bernardin hieß.

Doch nein, das Wort Protuberanz paßte nicht. Ihr Fett war zu glatt und weiß, um an ein Gewächs dieser Art denken zu lassen.

Eine Zyste, dieses Ding war eine Zyste! Eva war aus einer Rippe Adams gemacht worden, und Madame Bernardin war sicherlich als Zyste im Bauch unseres Quälgeists herangewachsen. Manchmal operiert man ja einem Patienten eine Zyste aus dem Leibesinnern heraus, die doppelt oder dreimal soviel wiegt wie er selbst. Palamède hatte das Gewächs geheiratet, von dem man ihn befreit hatte.

Natürlich war diese Erklärung ein reines Hirngespinst meinerseits. Dennoch schien sie alles in allem glaubhafter zu sein als die vernünftige Version: daß diese Geschwulst eines Tages eine Frau gewesen sein könnte, sogar eine, für die sich ein Ehemann gefunden hatte – nein, der Verstand konnte sich mit einer solchen Möglichkeit nicht abfinden.

Es war nicht der Moment, um sich den Gedanken hinzugeben; wir mußten das Paar in unserem

Haus empfangen. Juliette betrug sich heroisch. Sie trat der Zyste entgegen, streckte ihr die Hand hin und sagte:

– Madame, welche Freude, Sie kennenzulernen!

Zu meiner großen Überraschung löste sich ein fetter Tentakel von dem Fleischberg und ließ sich von den Fingern meiner Frau berühren. Ich hatte nicht den Mut, es Juliette nachzutun. Ich führte die beiden Schwergewichte ins Wohnzimmer.

Madame wurde ins Kanapee gezwängt; Monsieur setzte sich in seinen Sessel. Dort rührten sie sich nicht mehr und schwiegen.

Wir waren bestürzt. Besonders ich, der ich diese Invasion herbeigeredet hatte – dieses Auftürmen von Fett unter unserem Dach. Und dabei hatte ich diese Initiative doch ergriffen, um unseren Nachbarn in Verlegenheit zu bringen!

Bernadette besaß keine Nase; zwei undeutlich erkennbare Löcher schienen der Atmung zu dienen. Zwei schmale Schlitze oberhalb davon öffneten sich vor den Augäpfeln, doch konnte man nicht mit Sicherheit sagen, ob diese Augen etwas sahen. Am meisten zu denken gab mir ihr Mund: man hätte meinen können, der eines Kraken. Ich fragte mich, ob diese Öffnung wohl Laute hervorbringen konnte.

Sehr artig redete ich sie an, mit einer Selbstverständlichkeit, die mich selbst überraschte.

– Madame, was kann ich Ihnen anbieten? Einen Kir? Ein Gläschen Sherry? Portwein?

Etwas Erschreckendes passierte: Der Fleischberg wandte sich dem Gatten zu und stieß einige erstickte Grunzlaute hervor. Palamède, der diese Sprache zu verstehen schien, übersetzte:

– Keinen Alkohol.

Verwirrt machte ich weitere Angebote:

– Fruchtsaft? Orange, Apfel, Tomate?

Neue Geräuschsalve. Der Dolmetscher gab weiter:

– Ein Glas Milch. Heiß und ohne Zucker.

Nach zehn Sekunden Unbehagen fügte er hinzu:

– Für mich einen Kir.

Juliette und ich waren heilfroh über die Gelegenheit, in die Küche zu flüchten. Während die Milch auf dem Herd stand, wagten wir nicht, uns anzusehen. Um die Atmosphäre zu entspannen, murmelte ich:

– Ob man ihr das in einem Fläschchen serviert?

Lachkrampf des kleinen Mädchens mit den weißen Haaren.

Der fette Tentakel streifte meine Hand, als ich ihr

das Glas reichte. Ein Schauer des Widerwillens lief mir den Rücken hinunter.

Das war noch gar nichts gegen den Ekel, der mir die Kiefer verkrampfte, als das Glas an den Mund angelegt wurde. Die Öffnung entfaltete sich an den Rändern, wo anscheinend die Lippen waren, und begann zu inhalieren. Die Milch wurde in einem einzigen Zug eingesogen, aber in mehreren Wellen hinuntergespült. Jede Schluckbewegung erzeugte ein Geräusch, wie wenn man mit einem Gummisaugnapf einen verstopften Ausguß reinigt.

Mir graute. Nur schnell ein paar Worte finden, irgendwas reden!

– Wie lange sind Sie schon verheiratet?

Wenn ich mein Unbewußtes zu Wort kommen ließ, war es immer indiskret.

Nach fünfzehn Sekunden antwortete der Gatte:

– Fünfundvierzig Jahre.

Fünfundvierzig Jahre mit dieser Zyste! Ich begann seine Geistesverfassung besser zu verstehen.

– Zwei mehr als wir, sagte ich voll Bewunderung für soviel eheliche Ausdauer.

Ich merkte, daß meine Stimme einen falschen Klang hatte. Darum konnte ich nicht mehr kontrollieren, was ich sagte. Und so stellte ich eine ungeheuerliche Frage:

– Haben Sie Kinder?

Gleich darauf verwünschte ich mich selbst. Hat man denn Kinder mit… mit so was? Aber Monsieur Bernardins Antwort verblüffte mich. Er wurde rot vor Zorn und sagte in erbittertem Ton:

– Das haben Sie mich schon mal gefragt! Am ersten Tag.

Er keuchte vor Wut. Was ihn so außer sich brachte, war offenbar nicht die unbedachte Grausamkeit meiner Frage, sondern die Tatsache, daß er sie schon einmal beantwortet hatte. Durch seinen Ausbruch wurde mir klar, was unser Quälgeist für ein außergewöhnliches Gedächtnis hatte. Eine Gabe, die ihm zu nichts nütze war als dazu, sich aufzuregen, wenn er die Fehler in den Erinnerungen eines anderen erkannte.

Ich stammelte eine Entschuldigung. Schweigen. Ich getraute mich nichts mehr zu sagen. Ich konnte es nicht lassen, Madame Bernardin zu mustern. Vor ewigen Zeiten hatte ich gelernt, daß man Krüppel und Mißgebildete nicht anstarrt. Aber es war stärker als ich.

Ich bemerkte, daß man diesem Ding, das doch um die siebzig sein mußte, sein Alter nicht ansah. Seine Haut – oder sagen wir, die Membran, die den gesamten Fettkloß umhüllte – war glatt und faltenlos. Auf dem Kopf wuchs schönes schwarzes Haar, dicht und ohne eine einzige graue Strähne.

Eine Dämonenstimme flüsterte mir von innen zu: »Ja, Bernadette ist frisch wie am ersten Tag.« Ich biß mir auf die Lippen, um ein aufkommendes Lachen zurückzuhalten. Da bemerkte ich auch noch das himmelblaue Band, in das jemand – sicherlich war es Palamède gewesen – einige ihrer Haarsträhnen eingebunden hatte. Soviel Schönheitssinn brach meinen letzten Widerstand: Ich begann zu schlucken und zu röcheln, als wäre ich am Ersticken.

Als ich die Kraft fand, damit aufzuhören, sah ich, wie Monsieur Bernardin mich mit verdrossener Miene fixierte.

Meine bewundernswerte Frau beeilte sich, mir zu Hilfe zu kommen:

– Émile, siehst du mal nach dem Essen? Danke, du bist ein Engel.

Von der Küche aus hörte ich sie zu einem langen Monolog ansetzen:

– Haben Sie bemerkt, was ich für einen netten Mann habe? Er behandelt mich wie eine Prinzessin. Und das, seit ich sechs Jahre war. Ja, wir waren erst sechs, beide, als wir uns begegnet sind. Vom ersten Augenblick an haben wir uns geliebt. Wir haben uns nie getrennt. In den neunundfünfzig Jahren, die wir jetzt zusammen sind, haben wir nie aufgehört, miteinander glücklich zu sein. Émile ist ein Mann von außerordentlicher Bildung und Intelligenz. Wie leicht hätte er sich mit mir langweilen können! Aber nein! Wir haben nur schöne Erinnerungen. In meiner Jugend hatte ich sehr langes Haar, helles Kastanienbraun. *Er* hat es gepflegt: Er hat es gewaschen und mich frisiert. Nie hat man einen Griechisch- und Lateinprofessor gesehen, der ein so guter Coiffeur war. An unserem Hochzeitstag hat er mir eine fabelhafte Nackenrolle gemacht. Da, sehn Sie das Foto! Wir waren dreiundzwanzig. Émile war so ein schöner Mann! Ist er übrigens immer noch. Wissen Sie, daß ich mein Hochzeitskleid aufbewahrt habe? Manchmal trage ich es noch. Ich hatte daran gedacht, es heute abend anzuziehen, aber das hätten Sie vielleicht verrückt gefunden. Auch ich, Madame, habe nie ein Kind bekommen. Ich bedaure es nicht. Heutzutage ist das Leben so hart für die jungen Leute. Zu unserer Zeit war es leichter. Wir sind im Abstand von einem Monat geboren, er am 5. Dezember 29, ich am 5. Januar 30. Bei Kriegsende waren wir fünfzehn. Welch ein Glück, daß wir nicht älter waren! Sonst wäre Émile eingezogen worden und im Krieg vielleicht umgekommen. Ich hätte ohne ihn nicht leben können. Sie können das verstehn, nicht wahr? Sie haben ja auch so lange zusammengelebt.

Ich steckte den Kopf durch die Tür, um die Szene mit anzusehen. Juliette sprach allein und mit Überschwang, während der Quälgeist ins Leere blickte. Was die Nachbarin anging, so konnte man unmöglich sagen, womit sie beschäftigt war.

Es wurde Zeit, sich zu Tisch zu setzen. Madame Bernardin dort unterzubringen war ein Stück Arbeit. Je ein Drittel ihrer Körpermasse quoll zu beiden Seiten über den Stuhl. Würde sie nicht umkippen? Um einem solchen Bergrutsch vorzubeugen, hatten wir ihren Stuhl möglichst nah an den Tisch herangerückt. So saß sie etwas beengt. Aber man achtete besser nicht auf den Fettschlauch, der sich um ihren Tellerrand breitete.

Es ist nun ein Jahr her, und ich weiß nicht mehr, was es gab. Ich erinnere mich nur noch, daß wir mit höchster Sorgfalt ein denkbar raffiniertes Menü zubereitet hatten. Perlen vor die Säue? Schlimmer. Die Säue sind nicht wählerisch, machen aber wenigstens den Eindruck, als fräßen sie mit einem gewissen Vergnügen.

Monsieur Bernardin, für sein Teil, aß begierig und mit allen Anzeichen von Abscheu. Er schlang

große Mengen in sich hinein, die er kaum genieß-
bar zu finden schien. Zu keinem der Gänge gab er
irgendeinen Kommentar ab. Während der ganzen
Mahlzeit sagte er nur einen Satz – allerdings von
einer für seine Verhältnisse erstaunlichen Länge:

– Sie essen so viel und bleiben doch mager!

Das wurde uns zornig ins Gesicht geschleudert.
Fast hätte ich entgegnet, daß wir kaum Gelegenheit
hätten, viel zu essen, da unsere Gäste so wenig für
uns übrigließen. Vorsichtigerweise behielt ich diese
Bemerkung für mich.

Madame Bernardins Bewegungen beim Essen
waren von äußerster Langsamkeit. Ich dachte, ich
müßte ihr behilflich sein, das Fleisch zu zerschnei-
den, aber sie wußte sich selbst zu helfen. Und zwar
übernahm ihr Mund die Aufgabe des Messers. Sie
führte riesige Stücke bis an den Rand der Öffnung
und riß mit schnabelförmig gespitzten Lippen einen Teil davon ab. Dann sank der Tentakel im Zeit-
lupentempo wieder zum Teller hinunter, wo das
Reststück abgelegt wurde, das mehr und mehr wie
eine Fleischskulptur aussah.

Das Ganze glich einem Tanz und hatte noch eine
gewisse Grazie. Erst was dann anschließend aus
ihrem Mund kam, erregte Brechreiz. Davon erzähle
ich lieber nichts.

Zumindest war bei der Frau Nachbarin mangels Gegenbeweis nicht auszuschließen, daß sie mit Vergnügen aß. Bei ihrem Mann dagegen sagte schon der Gesichtsausdruck, was er von der Mahlzeit hielt: Unglaublich, daß jemand so schlecht kochen konnte wie wir! Das hinderte ihn nicht, die Teller zu leeren, mit einer Miene, als wollte er sagen: »Irgendwer muß das Zeug ja schließlich fressen.«

Juliette muß wohl dasselbe gedacht haben wie ich, denn sie fragte:

– Was essen Sie für gewöhnlich, Monsieur?

Fünfzehn Sekunden Nachdenken, dann der Urteilsspruch:

– Suppe.

Das konnte alles heißen, aber mehr erfuhren wir nicht. Wir konnten nachfragen, soviel wir wollten: »Was für eine Suppe? Klar, passiert, Fischsuppe, Erbsensuppe, mit Croûtons, mit Fleischstücken, Makkaroni, Basilikum, Lauch, Kürbis, kalt, mit Sahne, geriebenem Käse…?« Die einzige, zyklisch wiederkehrende Antwort lautete:

– Suppe.

Dabei war er immerhin der Koch. Zweifellos war er überfragt.

Das Dessert wurde eine Katastrophe. Es ist der einzige Gang, an den ich mich erinnere, aus gutem

Grund: Windbeutel mit einer Schale Schokoladensauce. Beim Geruch und Anblick der Schokolade geriet die Zyste in heftige Erregung. Sie wollte die Saucenschale für sich allein; für uns bliebe das trokkene Gebäck. Juliette und ich waren für dergleichen Vorschläge offen; wir wollten vor allem ein Drama vermeiden. Aber Monsieur Bernardin hatte etwas dagegen.

Wir erlebten einen Ehekrach dritten Grades. Der Herr Doktor stand auf und legte mit strenger Miene seiner besseren Hälfte ein paar Windbeutel auf den Teller. Dann goß er ordentlich Schokolade drüber und stellte die Saucenschale für sie außer Reichweite. Sobald das Objekt der Begierde entrückt wurde, begann die Frau stöhnende Laute auszustoßen, die nichts Menschliches mehr hatten. Die Tentakel streckten sich länger und länger nach dem Gral aus. Der Doktor nahm die Schale, drückte sie an sich und sagte mit fester Stimme:

– Nein. Du darfst nicht. Nein.

Bernadette brüllte auf.

Meine Frau murmelte:

– Sie können's ihr geben, Monsieur. Ich kann noch mehr Schokolade schmelzen, das geht leicht.

Ihre Einmischung wurde nicht beachtet. Der Ton zwischen den Gatten wurde lauter. Er schrie:

»Nein!«, und auch sie schrie etwas, das einer Sprache anzugehören schien. Nach und nach erkannten wir ein Wort:

– Suppe! Suppe!

Also hatte sie geglaubt, es handle sich um eine Variante ihres Grundnahrungsmittels. Ich war so töricht zu sagen:

– Nein, Madame, das ist keine Suppe, es ist eine Sauce. Man ißt sie nicht auf die gleiche Weise.

Die Zyste schien mich mit meinen läppischen Unterscheidungen reichlich sophistisch zu finden und brüllte nur um so lauter.

Juliette und ich wären gern im Boden versunken. Der Streit verschlimmerte sich unablässig; kein Friede war in Sicht. Da fand Palamède eine Lösung, an die selbst Salomon nicht gedacht hatte: Er nahm den Löffel aus dem Behälter, leckte ihn ab, dann setzte er die Schale an die Lippen und leerte sie mit einem Zug. Als er sie abstellte, gab seine Miene zu verstehen, daß er diese Schokolade scheußlich fand.

Ein letzter abgerissener Schrei der Zyste:

– Suppe!

Danach sank sie in sich zusammen, niedergeschlagen, bekümmert. Was sie auf dem Teller hatte, rührte sie nicht an.

Meine Frau und ich waren empört. Was für ein

Dreckskerl! Zwang sich, eine Sauce aufzuschlabbern, die er nicht mochte, unter dem Vorwand, dieser unglücklichen Behinderten Manieren beizubringen! Warum gönnte er seiner Frau den Genuß nicht? Ich war geneigt, aufzustehen und dem armen Säugetier einen ganzen Topf voll Schokoladensauce zu machen. Aber ich hatte Angst vor der erneuten Reaktion des Quälgeists.

Von da an empfanden wir für Bernadette eine liebevolle Zuneigung.

Nach der Mahlzeit brachten wir die Körpermasse unserer Besucherin wieder auf dem Kanapee unter, während der Doktor sich in seinen Sessel fallen ließ. Juliette fragte, wer Kaffee wollte. Monsieur bejahte; Madame schmollte und gab keinen Ton von sich.

Meine Frau fragte nicht weiter und verschwand in der Küche. Zehn Minuten später kam sie wieder, mit drei Tassen Kaffee und einer großen Tasse Schokoladensauce.

– Suppe, sagte sie mit freundlichem Lächeln, als sie dem Ding die Tasse reichte.

Palamèdes Gesicht wurde mürrischer denn je, aber er wagte keinen Protest. Ich hätte Juliette am liebsten applaudiert: Wie gewöhnlich hatte sie mehr Mut gehabt als ich.

Die Zyste kippte die Sauce mit wollüstigen Geräuschen hinunter. Es war widerlich, aber wir waren begeistert. Der neu erwachte Zorn ihres Mannes stimmte uns noch froher.

Ich stürzte mich in einen Monolog über Parmenides und seinen Beitrag zur Entwicklung des philosophischen Vokabulars. Ich konnte so aufgeblasen, ermüdend, wirr und trocken daherreden, wie ich nur wollte; unsere Gäste ließen kein Zeichen von Ungeduld erkennen.

Nach und nach begriff ich, daß ihnen meine Logorrhöe gefiel. Nicht, weil es sie interessierte, was ich sagte, sondern weil es sie einwiegte. Madame Bernardin war nichts anderes als ein riesiges Verdauungsorgan. Die monotonen Laute, die aus meinem Mund kamen, verschafften ihr die himmlische Ruhe, die den Eingeweiden so wohltut. Die Frau Nachbarin verbrachte einen herrlichen Abend.

Punkt elf Uhr zog der Doktor sie aus dem Kanapee hoch. Das Wort »danke« war den Bernardins fremd. In diesem Falle waren wir es, die sich am liebsten dafür bedankt hätten, daß unsere Gäste nun gingen.

Sie waren nur drei Stunden geblieben, was von seiten normaler Gäste an eine Beleidigung gegrenzt hätte. Allerdings waren uns die drei Stunden mit dem Ehepaar Bernardin doppelt so lang vorgekommen. Wir waren fix und fertig.

Palamède ging in die Nacht hinaus und zog seinen ehelichen Ballast hinter sich her. Man hätte sagen können, ein dicker Schleppdampfer vor einem Lastkahn.

Am nächsten Morgen erwachten wir mit dem widerwärtigen Gefühl, einen Fehler gemacht zu haben. Doch welchen? Wir wußten es nicht, hatten aber keinen Zweifel, daß wir die Folgen zu tragen hätten.

Wir wagten nicht, darüber zu sprechen. Das Geschirr vom Vorabend zu spülen erschien uns wie eine Wohltat. Der Frontsoldat liebt langweilige Arbeiten, weil sie beruhigen.

Bis zum Nachmittag hatten wir noch kaum ein Wort gewechselt. Juliette, die aus dem Fenster sah, eröffnete das Gespräch in beiläufigem Ton:

– Glaubst du, daß sie schon so gewesen ist, als er sie geheiratet hat?

– Das frag' ich mich auch. Wenn man sie sieht, erscheint es unmöglich, daß sie einmal normal gewesen sein könnte. Andererseits, wenn sie schon… so gewesen ist, warum hat er sie dann geheiratet?

– Er ist Arzt.

– Einen solchen Fall zu heiraten hieße, das ärztliche Pflichtgefühl ein bißchen weit treiben.

– So was kommt vor, oder?

– Du mußt zugeben, daß dies die unwahrscheinlichste Erklärung ist.

– Monsieur Bernardin wäre dann ein Heiliger.

– Ein komischer Heiliger! Denk an die Sache mit der Schokoladensauce.

– Die Suppe, ja. Du weißt doch, wenn man fünfundvierzig Jahre mit so einem Menschen zusammenlebt, verändert man sich vielleicht.

– Das ist sicherlich der Grund, warum er so ungehobelt geworden ist. Wenn man seit fünfundvierzig Jahren nicht mehr miteinander redet…

– Sie kann aber reden.

– Gewiß, sie kann sich verständlich machen. Aber ein Gespräch ist da nicht möglich, du hast es gesehen. Im Grunde läßt sich alles so erklären: Bernardin hat sich in diesen toten Winkel verkrochen, um seine Frau versteckt zu halten. Daß er so ein Flegel geworden ist, kommt vom Umgang mit ihr – immer nur mit ihr. Uns belagert er jeden Tag zwei Stunden lang, weil etwas in ihm noch menschlich geblieben ist und nach anderen Menschen verlangt. Wir sind für ihn der rettende Strohhalm; ohne uns verfiele er in denselben Larvenzustand wie seine Frau.

– Ich fange an zu begreifen, warum unsere Vor-
gänger ausgezogen sind.

– Und zu dem Thema haben sie ja auch nur sehr
ausweichend etwas gesagt…

– Vor allem, weil wir nichts davon wissen wollten. Wir waren doch gleich verliebt in das Haus.
Hätten sie uns gesagt, daß der Keller voller Ratten
ist, wir hätten uns die Ohren zugehalten.

– Ratten wären mir lieber.

– Mir auch. Gegen Ratten kann man Gift legen,
gegen Nachbarn nicht.

– Und außerdem muß man mit den Ratten
keine Konversation machen. Das ist das schlimmste: Konversation machen müssen.

– Was in unserm Fall heißt, einen Monolog halten müssen.

– Ja. Furchtbar, wenn man bedenkt, daß es keinerlei legale Mittel gibt, um sich vor dergleichen
Belästigungen zu schützen. Rechtlich gesehen, ist
Monsieur Bernardin der ideale Nachbar: Er ist still
– das mindeste, was man sagen kann. Er tut nichts,
was verboten wäre.

– Immerhin hätte er uns beinahe die Tür eingeschlagen.

– Wenn er es nur getan hätte! Dann hätten wir
einen vortrefflichen Grund, bei der Polizei Anzeige

zu erstatten. So haben wir jetzt gar nichts vorzu-
weisen. Wenn wir den Polizisten sagten, daß Palamède uns jeden Tag zwei Stunden belästigt, würden
sie uns auslachen.

– Verbietet uns denn die Polizei, die Tür vor ihm
verschlossen zu halten?

– Juliette, darüber haben wir schon gesprochen.

– Sprechen wir noch mal darüber. Ich für mein
Teil bin gewillt, ihm nicht mehr aufzumachen.

– Ich fürchte, das sitzt zu tief in mir verwurzelt.
Es steht schon in der Bibel: »Wenn einer an deine
Tür klopft, so öffne!«

– Ich wußte nicht, daß du fromm bist.

– Ich weiß nicht, ob ich es bin. Aber ich weiß,
es ist mir völlig unmöglich, nicht aufzumachen,
wenn jemand an meine Tür klopft. Nicht nur das
Angeborene ist unabänderlich, es gibt auch erwor-
bene Eigenschaften, die man nicht mehr ablegen
kann. Gewisse elementare Reflexe der Gesittung.
Zum Beispiel wäre es mir unmöglich, Leute nicht
mehr zu grüßen, ihnen nicht mehr die Hand zu
geben.

– Glaubst du, daß er heute kommt?

– Wollen wir wetten?

Ein nervöses Lachen überkam mich.

Es war weder drei Uhr neunundfünfzig noch vier Uhr eins, als es an die Tür klopfte.

Juliette und ich, wir sahen uns an wie die Urchristen, die man in der Arena den Löwen vorwarf.

Monsieur Bernardin gab mir seinen Mantel und nahm seinen Sessel in Besitz. Für einen winzigen Augenblick dachte ich mir, er sehe aus, als habe er einen schlechten Tag. Eine Sekunde später fiel mir ein, daß er immer so aussah.

Ich konnte in seiner Anwesenheit nicht mehr anders als parodistisch reden; das war ein Mechanismus elementaren Selbstschutzes. Ich fragte in weltläufigem Ton:

– Sie haben ja Ihre charmante Gattin nicht mitgebracht?

Er antwortete nur mit einem vernichtenden Blick. Ich tat so, als ob ich es nicht bemerkte.

– Meine Frau und ich, wir mögen Bernadette sehr gern. Jetzt, nachdem wir uns kennengelernt haben, sollten Sie keine Bedenken mehr haben, sie mitzubringen.

Das war ehrlich gemeint: Wenn wir unseren Quälgeist schon ertragen mußten, fand ich ihn in Begleitung seiner besseren Hälfte zumindest pittoresker.

Palamède sah mich an, als wäre ich der allerletzte

Flegel. Es gelang ihm immer noch, mich aus der Fassung zu bringen. Ich begann zu stammeln:

– Es stimmt, kann ich Ihnen versichern. Macht doch nichts, daß sie ein bißchen... na ja, anders ist. Wir haben sie sehr gern.

Mit Grabesstimme kam schließlich eine Antwort:

– Heute morgen war sie krank.

– Krank? Die Ärmste, was hat sie denn?

Er holte tief Luft, ehe er triumphierend und rachsüchtig hervorstieß:

– Zuviel Schokolade.

Er schaute siegesbewußt drein; daß seine Frau krank war, freute ihn, denn es gab ihm einen wunderbaren Anlaß, uns Vorwürfe zu machen.

Ich stellte mich verständnislos:

– Wie bedauerlich! Sie ist so empfindlich.

Fünfzehn zornglühende Sekunden Bedenkzeit.

– Nein, sie ist nicht empfindlich. Ihr Essen war zu reichhaltig.

Es war klar, daß er es darauf anlegte, uns zu provozieren. Unschlüssig wich ich aus:

– Täuschen Sie sich nicht! Sie wissen doch, die Frauen haben so einen heiklen Mechanismus... Wie chinesisches Porzellan! Ein bißchen Aufregung, und schon ist die Verdauung gestört.

Es fiel mir schwer, bei der Vorstellung, daß ich dieses Monstrum mit chinesischem Porzellan verglich, den nötigen Ernst zu bewahren. Der Nachbar fand die Sache nicht komisch. Ich sah, wie sein fettes Gesicht rot anlief. Auf dem Gipfel des Zorns platzte er heraus:

– Nein! Sie sind schuld! Und Ihre Frau! Und die Schokolade!

Außer Atem vor Wut, reckte er das Kinn vor, um die Unwiderleglichkeit seiner Behauptung zu verdeutlichen.

Trotzdem dachte ich nicht daran, mich zu entschuldigen. Lächelnd gab ich dem gesunden Menschenverstand Ausdruck:

– Na, das kann ja nicht so schlimm sein, wenn man mit einem großen Arzt verheiratet ist.

Er lief abermals rot an, schüttelte den Kopf, wußte aber nichts mehr zu erwidern.

– Mein lieber Palamède, erzählen Sie mir doch mal, wie Sie Ihre Frau kennengelernt haben, fragte ich, lässig wie ein Golfspieler.

Die Frage schien ihn so zu empören, daß ich schon dachte, er werde türknallend verschwinden. Wunschdenken! Er brummte am Ende sogar eine Antwort:

– Im Krankenhaus.

Ganz wie ich vermutet hatte, aber ich stellte mich dumm:

– Bernadette war Krankenschwester?

Fünfzehn Sekunden verächtliches Schweigen.

– Nein.

Ich hatte vergessen, daß ich ihm keine Gelegenheit lassen durfte, eines seiner beiden Lieblingswörter zu benutzen. Im Anschluß an dieses Nein konnte ich ihm zusetzen, soviel ich wollte, ich erhielt nicht mehr den geringsten Aufschluß über Madame Bernardins Herkunft.

Er beruhigte sich. Nach und nach wurde er sich seines Sieges bewußt. Gewiß, wir hatten ihn in eine heikle Situation gebracht: Wir hatten ihn gezwungen, uns seine Frau vorzustellen, und in der Schokoladenaffäre hatten wir uns über sein Verbot hinweggesetzt und ihn damit in seiner Gattenautorität gekränkt.

Aber letzten Endes gewonnen hatte natürlich er. Um in diesem unerbittlichen Kampf den Sieg davonzutragen, nützte es nichts, der Intelligentere und Geschicktere zu sein, es nützte nichts, Humor zu haben und den anderen mit Sturzbächen von Gelehrsamkeit überschütten zu können. Um zu siegen, mußte man der Dickfelligere, Unbeweglichere, Niederschmetterndere, Unhöflichere und Leerere sein.

Dies war ohne Zweifel das Wort, das ihn am besten traf: leer. Monsieur Bernardin war in dem Maße leer, in dem er dick war. Weil er so dick war, hatte er viel Volumen, das seine Leere umfaßte. So ist es in allem: Die Walderdbeeren, die Eidechsen und die Aphorismen sind dicht und verheißen Fülle, während die großen Kürbisse, die Käsesoufflés und die Antrittsvorlesungen im gleichen Maße aufgebläht wie leer sind. Darin ist nichts Tröstliches: Die Macht der Leere ist fürchterlich. Sie wird von unerbittlichen Gesetzen regiert. Zum Beispiel schließt die Leere das Gute aus; sie versperrt ihm trotzig den Weg. Dagegen wartet sie nur darauf, sich vom Bösen erfüllen zu lassen, als ob sie zu ihm uralte Beziehungen unterhielte, als ob sie beide Vergnügen daran hätten, sich wiederzusehen und über gemeinsame Erinnerungen zu plaudern.

Wenn das Wasser ein Gedächtnis hat, warum sollte die Leere keines haben? Ein Gedächtnis, das den Fremdenhaß gegen das Gute aufbewahrt (»Dich kenn' ich nicht, also mag ich dich nicht, und ich wüßte nicht, warum sich das ändern sollte«) und sich immerfort mit dem Bösen verbrüdert (»Mein alter Freund, du hast bei deinen Aufenthalten so viele Spuren hinterlassen bei mir: Du bist hier wie zu Hause!«).

Gewiß wird es immer Leute geben, die sagen, daß Gut und Böse nicht existieren: Das sind diejenigen, die mit dem wahren Bösen noch nie zu tun gehabt haben. Das Gute ist viel weniger überzeugend als das Böse; es liegt daran, daß beide in ihrem chemischen Aufbau verschieden sind.

Wie das Gold findet sich auch das Gute in der Natur niemals in reiner Form. Es erscheint daher normalerweise nicht gerade imponierend. Es hat die unangenehme Eigenschaft, nichts zu bewirken, und stellt sich statt dessen gern zur Schau.

Das Böse dagegen ist wie ein Gas: nicht leicht zu sehen, aber am Geruch zu erkennen. Meistens stagniert es und bildet eine erstickende Hülle. Zuerst weckt es den Anschein, als wäre es unschädlich – und dann sieht man, wie es wirkt, macht sich klar, wieviel Boden es schon gewonnen, wieviel Arbeit es geleistet hat – und man wird niedergestreckt, denn in diesem Augenblick ist es schon zu spät. Das Gas läßt sich nicht vertreiben.

Ich lese im Lexikon: »Eigenschaften der Gase: Ausdehnbarkeit, Elastizität des Volumens, Kompressibilität, geringes spezifisches Gewicht!« Man könnte schwören, eine Beschreibung des Bösen.

Aber Monsieur Bernardin war nicht das Böse, er war nur ein großer, leerer Schlauch für das verderbenbringende Gas. Ich hatte ihn zunächst für harmlos gehalten, weil er stundenlang dablieb, ohne etwas zu tun. Aber das war nur der Augenschein; in Wahrheit stand er im Begriff, mich zu vernichten.

Um sechs Uhr ging er.

Am nächsten Tag kam er um vier und ging um sechs.

Am übernächsten: Ankunft vier Uhr, Aufbruch sechs.

Und so weiter.

Manche Leute treffen sich zu einem »Fünfuhrtee«: die diskrete Umschreibung für ein Schäferstündchen. Unser »Vieruhrkaffee« wäre das Gegenteil davon.

– Und trotzdem, er hat eine Kranke geheiratet.

– Ist das ein mildernder Umstand?

– Stell dir mal vor, was das für ein Leben sein muß mit dieser Frau!

– Lies nur mal *Ungeduld des Herzens*.

– Émile, die Bücher sind nicht der Schlüssel zu allem!

– Natürlich nicht. Aber auch die Bücher sind Nachbarn – Traumnachbarn, die einen nur besuchen, wenn man sie herbeiwünscht, und wieder gehen, wenn man genug von ihnen hat. Nimm mal an, Zweig ist ein Nachbar von uns.

– Und was sagt dieser Nachbar?

– Er sagt, es gibt ein gutes und ein schlechtes Mitleid. Daß es das gute ist, von dem Monsieur Bernardin sich leiten läßt, davon bin ich nicht überzeugt.

– Haben wir ein Recht, über ihn zu urteilen?

– Gegen einen solchen Flegel haben wir jedes Recht. Hat er ein Recht, uns zwei Stunden pro Tag zu belästigen?

– Trotzdem, ich wollte sagen, zu Anfang muß es wohl aus Großmut gewesen sein, daß er Bernadette geheiratet hat.

– Du hast doch gesehen, wie er sie an dem Abend neulich behandelt hat. Findest du das großmütig? Wer sich einer Behinderten annimmt, muß deshalb noch kein Heiliger sein.

– Ein Heiliger nicht. Aber ein anständiger Mensch.

– Er ist kein anständiger Mensch. Schlecht angewandte Güte ist keine Güte.

– Was wäre aus ihr geworden, wenn er sie nicht geheiratet hätte?

– Das wissen wir nicht. Wie war sie vor fünfundvierzig Jahren? Jedenfalls, unglücklicher wäre sie ohne ihn auch nicht geworden.

– Und er, wie war er damals? Als schlanken Jüngling kann ich ihn mir nicht vorstellen.

– Schlank wird er wohl nicht gewesen sein.

– Aber jung muß er gewesen sein, ist dir das klar?

– Manche Menschen sind niemals jung.

– Er muß doch schließlich mal Medizin studiert haben! Kann ein Idiot das schaffen?

– Am Ende glaub' ich noch, er kann es.

– Nein, das ist unmöglich. Ich glaube vielmehr, das Altwerden ist ihm schlecht bekommen. So was gibt es. Wer weiß, wie wir in fünf Jahren sind?

– Eins ist sicher: So wie Bernadette wirst du nicht aussehn.

Juliette lachte und fing an zu stöhnen:

– Suppe! Suppe!

Mitten in der Nacht wurde ich wach. Ich war auf etwas ganz Selbstverständliches gestoßen, das ich noch nicht zu formulieren gewagt hatte: Monsieur Bernardin war die mythische Nervensäge.

Daß er eine Nervensäge war, wußten wir natürlich schon. Aber das genügte nicht. Viele Leute kann man so bezeichnen. Unser Nachbar aber verkörperte den reinen Typus.

Ich ging die Gestalten aus den antiken oder modernen Mythologien durch, die ich kannte. Der Fächer der möglichen Figuren entfaltete sich. Alles gab es dort schon, bis auf den Archetyp. Es gab den Zudringlichen, den alles zermalmenden Schwätzer, den Verführer, dem man sich hingab, nur um ihn loszuwerden, Damen, die Langeweile im Superlativ um sich verbreiten, und Kinder, die man aus dem Fenster werfen möchte. Niemand aber kam unserem Quälgeist nahe.

Mir hingegen war es vergönnt gewesen, demjenigen zu begegnen, der, abgesehen davon, daß er seinen Nächsten nervte, nicht die Spur einer Lebensaufgabe oder eines Daseinsgrundes hatte. Arzt sollte er sein? Ich hatte ihn nie jemanden behandeln sehen. Die Hand auf Juliettes Stirn zu legen oder Bernadette am Auslecken einer Schüssel Schokoladensauce zu hindern stellte ja wohl keine ärztliche Tätigkeit dar.

In Wahrheit war Monsieur Bernardin nur auf der Welt, um andere anzuöden. Der Beweis ist, daß kein Fünkchen Lebensfreude von ihm ausging. Ich hatte ihn beobachtet: Ihm war alles zuwider. Ob essen oder trinken, im Wald spazierengehn, reden, zuhören, lesen oder schöne Dinge anschauen, nichts von alledem tat er gern. Das schlimmste war, daß es ihm nicht mal Vergnügen machte, mich anzuöden. Er tat es gründlich, weil es nun mal seine Mission auf Erden war, aber es bereitete ihm keinerlei Freude. Er schien es sterbenslangweilig zu finden, mich zu langweilen.

Wäre er wenigstens wie diese zänkischen alten Weiber gewesen, die eine perverse Lust dabei empfinden, wenn sie andere rasend machen! Die Vorstellung, dies würde ihn freuen, hätte mich getröstet.

So vergiftete er also sich selbst das Leben und zugleich das meine. Es war ein Alptraum. Oder schlimmer, denn auch die entsetzlichsten Träume haben ein Ende, während für meine Heimsuchung keines abzusehen war.

Ja, ich machte mir Sorgen für die Zukunft: Es gab keinen Grund, warum die Lage sich hätte bessern sollen. Weit und breit war nicht die kleinste Andeutung eines Auswegs zu sehen.

Wäre dieses Haus für uns nicht *Unser* Haus gewesen, hätten wir ausziehen können. Aber dafür liebten wir diese Lichtung schon zu sehr. Sie war unser Gelobtes Land, und kein Monsieur Bernardin sollte uns daraus vertreiben.

Eine andere Hypothese war der Ausweg aus jeder menschlichen Existenz: der Tod, das natürliche Ableben unseres Nachbarn. Das wäre die Ideallösung gewesen. Leider war er zwar siebzig und verfettet, aber sein Ende schien nicht unmittelbar bevorzustehen. Obendrein hatte er als Arzt sicher eine überdurchschnittliche Lebenserwartung.

Die letzte Möglichkeit brachte Juliette immer wieder zur Sprache: ihm den Einlaß zu verweigern. Dies, wohlgemerkt, hätte ich tun müssen. Es wäre unser gutes Recht gewesen. Und jeder andere als ein armer kleiner verschüchterter Gymnasiallehrer wie ich hätte auch die Kraft dazu gefunden. Aber man kann sich nicht aussuchen, wer man ist. Meine Furchtsamkeit hatte ich mir nicht ausgesucht, sie war mir auferlegt worden.

Nicht ohne Spott fand ich mich mit dem Gedanken ab, dies sei mein Schicksal. Man kann nicht vierzig Jahre lang Griechisch und Latein unterrichten und von der Mythologie unberührt bleiben. Es gab also, wenn schon keine Gerechtigkeit, so doch wenigstens einen Zusammenhang in dieser Schicksalsfügung: Mir, dem Philologen, kam es zu, einer neuen archetypischen Gestalt zu begegnen.

Es war, als hätte ein Spezialist für Leberleiden sich gegen Ende seines Lebens eine Leberzirrhose zugezogen: ein Unglück, das alles in allem doch den Rechten getroffen hätte.

Lächelnd drehte ich mich im Bett herum, denn soeben hatte ich eine komische und betrübliche Wahrheit begriffen, nämlich, daß der Sinn der Trost der Schwachen war.

Gewiß, Heerscharen von Philosophen hatten dies schon vor mir erkannt. Aber die Klugheit der anderen hat noch niemandem etwas genützt. Wenn der Zyklon hereinbricht – der Krieg, die Ungerechtigkeit, die Liebe, die Krankheit, der Nachbar –, ist man immer allein, ganz allein, kaum geboren und schon Waise.

– Und wenn wir nun einen Fernseher kauften?

Juliette hätte beinahe die Kaffeekanne umgestoßen.

– Du spinnst!

– Nicht für uns, für ihn! Einfach so, und wenn er dann herkommt, setzen wir ihn vor den Fernseher und haben unsere Ruhe.

– Ruhe, bei dem Höllenlärm?

– Du übertreibst. Es ist vulgär, aber der Lärm ist nicht so schlimm.

– Nein, das ist keine gute Idee. Dann passiert eins von beiden: Entweder mag Monsieur Bernardin das Fernsehen nicht und ist noch verdrossener als vorher, ohne sich aber deshalb zu verziehen. Oder es gefällt ihm, und dann bleibt er jeden Tag vier, fünf oder sieben Stunden bei uns.

– Furchtbar! Daran habe ich nicht gedacht. Und wenn wir ihnen den Fernseher schenken?

Sie lachte laut auf.

In diesem Augenblick läutete das Telefon. Wir schauten uns entsetzt an. Seit fast zwei Monaten wohnten wir nun schon hier und hatten noch keinen Anruf bekommen.

Juliette stammelte:

– Glaubst du, daß…

Ich fing an zu schimpfen:

– Natürlich, das ist er! Wer denn sonst? Von vier bis sechs genügt ihm nicht mehr, jetzt geht das schon beim Frühstück los!

– Émile, ich bitte dich, geh nicht ran! sagte meine Frau in flehendem Ton.

Sie war aschfahl.

Ich könnte schwören, ich wollte den Hörer nicht abnehmen. Aber es erging mir wie mit dem Klopfen an der Tür: Es war stärker als ich. Mir war elend, ich bekam keine Luft mehr. Und dieses Läuten hörte und hörte nicht auf. Womit die Identität des Anrufers feststand.

Schamrot und mit den Nerven am Ende, rannte ich zum Apparat und nahm ab, mit dem Blick auf Juliette, die das Gesicht in den Händen verbarg.

Und mit welcher Verblüffung hörte ich nicht statt der erwarteten Knurrtöne die lieblichste und jüngste aller Frauenstimmen:

– Monsieur Hazel, habe ich Sie geweckt?

Sofort konnte ich wieder frei atmen.

– Claire!

Meine Frau machte ein ebenso freudig überraschtes Gesicht wie ich. Claire war die beste Schülerin, die ich in vierzig Jahren unterrichtet hatte. Wir fühlten uns ein wenig wie ihre Großeltern.

Die Kleine erklärte mir, daß sie gerade ihren Führerschein gemacht hatte. Nun hatte sie sich einen Gebrauchtwagen gekauft, der noch fuhr, und freute sich darauf, uns zu besuchen.

– Aber selbstverständlich, Claire! Niemand ist uns willkommener.

Ich beschrieb ihr den Weg. Sie sagte, sie käme übermorgen gegen drei Uhr nachmittags. Ich wollte mich schon freuen, da dachte ich an Monsieur Bernardin.

Aber leider war das Mädchen schon im Begriff, sich zu verabschieden. Ich kam nicht mehr dazu, eine andere Zeit vorzuschlagen. Gedankenschnell hatte sie aufgelegt.

– Sie besucht uns übermorgen nachmittag, erklärte ich in süßsaurem Ton.

– Samstag! Wie herrlich! Ich hatte Angst, wir sehen sie nie wieder.

Juliette war selig. Es kostete mich einigen Mut, hinzuzufügen:

– Sie kommt um drei. Ich wollte eine andere Zeit vorschlagen, aber…

– Ach!

Ihre Freude mäßigte sich ein wenig. Trotzdem brachte sie es fertig zu lachen:

– Wer weiß, vielleicht wird das ein sehr komisches Zusammentreffen.

Ich fragte mich, ob sie wohl selbst glaubte, was sie da sagte.

Claire war ein Mädchen aus einer anderen Zeit. Ich sage das nicht, weil sie in ihrer Jugend Latein und Griechisch gelernt hatte; sie wäre auch ohne diese Wunderlichkeit nicht ganz von heute gewesen. Ihr Gesicht war so sanft, daß die Zeitgenossen sie nicht hübsch fanden, und sie lächelte so viel, daß die jungen Leute sie für dumm hielten.

Sie konnte Seneca und Pindar beim Lesen frei in ein elegantes und geschmeidiges Französisch übersetzen, anscheinend ohne an dieser Fähigkeit irgend

etwas Besonderes zu finden. Aber ihren Mitschü-
lern entging dieses Wunder nicht, und sie fanden
darin einen Grund, sich über Claire lustig zu machen. Ich habe oft bemerkt, daß Gymnasiasten die
Intelligenz verabscheuen.

Unbekümmert um all dies ging Claire souverän
ihren Weg. Zwischen ihr und mir war eine echte
Freundschaft entstanden. Ihre Eltern waren brave
Leute, die ihr die Neigung zu den alten Sprachen
auszureden versuchten: Wie glücklich wären sie
gewesen, hätte Claire sich für eine seriöse Ausbil-
dung in Buchhaltung oder Verwaltung entschieden!
Aber eine tote Sprache zu lernen erschien ihnen als
die unbegreiflichste Zeitverschwendung. Und dann
auch noch zwei!

Ich hatte Claire einmal zu Mittag eingeladen. Damals muß sie fünfzehn gewesen sein. Juliette war
sofort vernarrt in sie, und ihre Zuneigung wurde
erwidert. Um ihre Eltern zu sein, fanden wir uns zu
alt; sie war uns wie eine Enkelin.

Zwischen uns dreien war eine Bindung von sel-
tener Kraft entstanden. Inzwischen war Claire der
einzige Mensch in der Außenwelt, an dem uns etwas lag.

Ihren Namen trug sie zu Recht: Von ihr ging ein
Licht aus, das den Blick auf sich zog. Sie war eines

von jenen Ausnahmegeschöpfen, deren Anwesenheit allein schon genügt, um andere glücklich zu machen.

Claire war nun achtzehn, aber sie hatte sich nicht verändert. Wir hatten sie seit zehn Monaten nicht mehr gesehen, und nichts hatte die tiefe Zuneigung, die uns verband, beeinträchtigen können.

Mich nannte sie noch immer »Monsieur Hazel«, während sie Juliette seit ihrer ersten Begegnung mit dem Vornamen anredete. Das wunderte mich nicht weiter: Schließlich war meine Frau ja auch meine Tochter und stand deshalb dem Mädchen näher.

Claire war kaum zehn Minuten bei uns, da strahlten wir schon mit ihr. Das kam nicht so sehr von dem, was sie zu erzählen hatte; es kam aus ihrem Wesen. Ihre Heiterkeit sprudelte auf uns über. Wir waren so froh, daß sie uns nicht vergessen hatte. An der Außenwelt lag uns nichts, aber sie, Claire, war uns unentbehrlich.

Es klopfte an die Tür. Vier Uhr schon! Und dabei hatte ich mir fest vorgenommen, die Kleine auf den ungelegenen Besuch vorzubereiten, damit sie im Bilde war.

– Ach, Sie erwarten jemand? Ich geh' gleich…

– Nicht doch, Claire! Ich bitte Sie!

Monsieur Bernardin schien es zu empören, daß

wir die Unverfrorenheit besaßen, während der Stunden, die seither ihm vorbehalten waren, jemand anders zu empfangen. Er knurrte etwas durch die Zähne, als sie, mit ihrem liebenswürdigsten Lächeln, ihm guten Tag sagte. Juliette und ich, wir schämten uns für seine Grobheit, wie wenn wir selbst daran schuld gewesen wären.

Er ließ sich in seinen Sessel fallen und rührte sich nicht mehr. Claire sah ihn erstaunt, doch voll Freundlichkeit an. Sie mußte denken, er sei ein Freund von uns und aus diesem Grund sei es nötig, mit ihm zu reden.

– Das ist ja eine herrliche Gegend, in der Sie wohnen! rief sie bewundernd aus.

Unserem Quälgeist schien das schon lästig zu sein; er machte ein Gesicht, als ob er sagen wollte: »Was hab' ich's nötig, mit einem Dummchen zu reden, das mir hier während meiner Besuchszeit in die Quere zu kommen wagt!«

Er ließ sich nicht dazu herab, den Mund aufzumachen. Ich war ratlos. Claire dachte, er sei vielleicht schwerhörig, und wiederholte ihre Bemerkung mit lauterer Stimme. Er sah sie an, als wollte sie ihm faule Fische aufschwatzen. Ich hätte ihn ohrfeigen können. Aber ich begnügte mich damit, an seiner Stelle zu antworten.

– Monsieur Bernardin ist unser Nachbar. Er besucht uns jeden Tag von vier bis sechs.

Ich dachte, Claire würde verstehen, welcher Art diese Besuche waren; sie mußte doch sehen können, daß wir darunter litten. Aber so augenfällig war die Sache nicht. Claire muß geglaubt haben, wir seien wirklich mit ihm befreundet, vielleicht sogar, wir hätten ihn eingeladen. Es gab eine Abkühlung, unwiderruflich. Die Kleine traute sich nicht mehr, den Eindringling anzureden, und sprach von da an nur noch mit uns, hatte aber alle Unbefangenheit und Munterkeit verloren. Juliette und ich waren so verkrampft, daß wir nur noch mit verstellter Stimme reden konnten. Selbst wenn wir lachten, klang es falsch.

Es war furchtbar.

Claire hielt es nicht lange aus. Gegen fünf machte sie Anstalten zum Aufbruch. Wir wollten sie zurückhalten. Sie beharrte darauf, sie habe eine Verabredung, die sie nicht versäumen dürfe.

Ich brachte sie zu ihrem Wagen. Sobald ich mit ihr allein war, versuchte ich ihr die Situation zu erklären:

– Sie verstehn, es fällt uns schwer, ihn nicht einzulassen, er ist unser Nachbar, aber...

– Er ist doch nett. Gute Gesellschaft für Sie, fiel

sie mir ins Wort, um mir aus der Verlegenheit zu helfen.

Alles weitere blieb mir im Halse stecken. So herablassend hatte noch niemand mit mir gesprochen – und dann auch noch Claire, meine Enkeltochter! Wie lange war ich nicht ihr Lieblingslehrer gewesen, wie hatte sie mich nicht bewundert und meinem ärmlichen Beruf einen Sinn gegeben – und nun schlug sie gegen mich diesen sanften, schonenden Ton an wie gegen einen Tattergreis!

Mit herzlichem und traurigem Lächeln, in dem ich lesen konnte: »Nun ja, ich kann Ihnen Ihr Alter nicht übelnehmen!«, drückte sie mir die Hand.

– Sie kommen doch wieder, nicht wahr, Claire, Sie kommen wieder?

– Ja, ja, Monsieur Hazel; grüßen Sie Juliette noch mal ganz herzlich, antwortete sie mit einem Abschiedsblick.

Ihr Fahrzeug verschwand im Wald. Ich wußte, daß ich meine Schülerin nie wiedersehn würde.

Als ich ins Wohnzimmer zurückkam, fragte meine Frau voll Besorgnis:

– Sie kommt doch wieder?

Ich wiederholte Claires Antwort:

– Ja, ja.

Juliette schien beruhigt zu sein. Sicherlich wußte

sie nichts von dieser Eigenart der Sprache: Während Plus mal Plus in der Mathematik Plus ergibt, bedeutet Ja plus Ja immer eine Verneinung.

Monsieur Bernardin dagegen sah so aus, als hätte er dies begriffen, denn durch seinen dumpfen Blick schien mir ein Aufleuchten des Triumphes zu huschen.

Juliettes Atem verriet, daß sie eingeschlafen war. Endlich konnte ich mich gehenlassen.

Ich stand vom Bett auf und stieg auf Zehenspitzen die Treppe hinunter. Es war nach Mitternacht. Ohne Licht anzuknipsen, setzte ich mich in den verfluchten Sessel, den unser Quälgeist sich angeeignet hatte. Ich bemerkte, daß er sich unter dem Gewicht unseres Nachbarn in der Mitte eingebeult hatte.

Ich versuchte mich in Claire hineinzuversetzen. So aufmerksam sie auch sein mochte, sie hatte sich wohl oder übel an den Augenschein halten müssen, und ich konnte es ihr nicht verdenken.

Ich hatte Fehler über Fehler gemacht. Hätte ich zu Monsieur Bernardins Besuch überhaupt nichts gesagt, hätte sie vielleicht begriffen, daß es sich um einen lästigen Gast handelte. Aber ich hatte hinzugefügt, daß er jeden Tag von vier bis sechs kam.

Also hatte sie annehmen müssen, daß dieser Idiot ein guter Freund von uns war.

Und obendrein: Ich mußte ihr noch dankbar sein, wenn sie das angenommen hatte. Wie sollte sie sich vorstellen können, daß ich mich derart belagern ließ? Hätte ihr jemand gesagt, daß ihr verehrter Lehrer nicht fähig war, einen solchen Flegel von der Türschwelle zu weisen, so hätte sie es nicht geglaubt. Dazu schätzte sie mich zu sehr.

Es war die Höhe, ich war also noch gut davongekommen! Wenn das nicht zum Lachen war! Trotzdem war ich den Tränen nahe. Ich hörte Claires Stimme, wie sie laut dachte: »In diesem Alter kann man die Einsamkeit nicht mehr ertragen. Eine noch so unangenehme Gesellschaft ist einem da lieber als das Gefühl des Verlassenseins. Trotzdem, ein Mann, der mich die Weisheit der Alten gelehrt hat, der die Herdengesinnung verachtet und Symeon den Styliten verehrt – daß es mit dem soweit kommen mußte! Er hatte mir gesagt, er würde aufs Land gehen, wie Jansenius nach Ypern, um die Welt zu fliehen. Und was macht er? Jeden Tag lädt er diesen grobschlächtigen Spießer zu sich ein! Na ja, man muß wohl nachsichtig sein. Das Greisenalter ist ein Schiffbruch. Aber ich will das Schiff nicht sinken sehen; es ginge über meine Kräfte. Und vor allem möchte ich diesem Typ nicht noch mal begegnen. Ich frage mich nur, wie Juliette den erträgt... Ich fahre nicht mehr hin. Lieber bewahre ich mir die Erinnerung unbeschadet. Außerdem haben sie ja nun einen Freund und brauchen mich nicht mehr.«

Ich versuchte diese Stimme zum Schweigen zu bringen. Ich verwünschte mich selbst. Wenn ich nur Zeit gehabt hätte, ihr alles zu erklären, als ich sie zu ihrem Wagen brachte! Aber ich hatte doch Zeit gehabt! Warum hatte ich die Gelegenheit verpaßt?

Zum ersten Mal im Leben begriff ich, daß ich ein alter Mann war. Erfahren hatte ich es aus dem Blick einer jungen Freundin. Die Erkenntnis war nur um so schrecklicher.

Ich war alt durch eigenes Verschulden. Am Alter allein kann es heute nicht mehr liegen: Fünfundsechzig Jahre besagen nichts. Also konnte ich nur mir selbst Vorwürfe machen.

Und dazu hatte ich allen Grund. So ungewöhnlich mein Fehler auch war, verdiente er nichtsdestoweniger Verachtung. Ich hatte mich einer besonderen Art von Schwäche schuldig gemacht: Ich war meinem Ideal von Glück und Menschenwürde untreu geworden. Grob gesagt, ich ließ es mir gefallen, daß mich jemand nervte. Und das ließ ich mir umsonst und wegen nichts gefallen: Die Konventionen, auf die ich mich zu meiner Rechtfertigung berufen hatte, existierten nicht.

Eine solche Gefügigkeit war greisenhaft. Daß ich senil wurde, geschah mir recht, weil ich mich wie ein Tattergreis benahm.

Und Juliette? Angenommen, ich hätte das Recht gehabt, mich selbst unglücklich zu machen; doch wer hatte mir erlaubt, auch ihr Glück so ohne weiteres zu opfern? Ich hatte einen Menschen, den ich verachtete, auf Kosten derjenigen, die ich liebte, begünstigt. Dabei hatte sie nicht versäumt, mir Ratschläge zu geben, vor allem einen ganz einfachen, so leicht befolgbaren: Es genügte, die Tür nicht mehr aufzumachen. Was war denn so schwierig daran, vor dem Eindringling die Tür verschlossen zu halten?

Ich hatte nichts von alldem kommen sehen. Nie hätte ich gedacht, daß eine so belanglose Schwäche solche Folgen nach sich ziehen könnte. Ich durfte es mir nicht verbergen: daß Claire mich im Stich ließ, durchbohrte mir das Herz. Diese Kleine war der einzige Mensch gewesen, der mich in voller Kenntnis der Gründe schätzte und mich eben deshalb in meinen eigenen Augen erhöhte. Man muß nicht besonders eitel sein, um wenigstens einmal im Leben das Bedürfnis zu haben, von jemand Gescheitem mit Bewunderung angesehen zu werden. Schon gar nicht, wenn das Alter näherrückt und wenn dieser Jemand ein junges Mädchen ist.

Und wenn man außerdem zu der jungen Verehrerin eine Zuneigung faßt, wird sie für uns lebensnotwendig: Claire war die äußere Garantie meines Wertes. Solange sie mich achtete, konnte ich mir sagen, daß ich achtenswert war.

In dieser Nacht nun fand ich mich lächerlich, belanglos, nichtswürdig. Mein ganzes Leben schien mir darauf hinauszulaufen.

Ich war ein kleiner Schulmeister in einem Provinzgymnasium gewesen, ich hatte vierzig Jahre lang tote Sprachen unterrichtet, auf die alle Welt pfiff, ich hatte im Namen geheiligter Prinzipien meine Frau von allen gewöhnlichen Vergnügungen ferngehalten, und das geringe Verdienst, das ich dabei erworben hatte, diese tiefe Bewunderung bei einer begabten Schülerin, sogar das hatte ich nun nicht mehr. In den Augen der Jugend hatte ich lesen können, was von mir übrigblieb: ein armer alter Mann.

Ich kam mir vor wie eine Figur von Čechov. Ich sah aus dem Fenster und murmelte: »Leben heißt scheitern. Leben heißt scheitern.« Darin war mein Leben vollkommen gewöhnlich, so banal wie alles, was im Sand verläuft.

Ich ließ mich in das Loch einsinken, das Monsieur Bernardin in seinen Sessel gedrückt hatte, ich schlug die Hände vors Gesicht und weinte.

Um vier Uhr nachmittags kam der siegreiche Feind. Ich ließ ihn über mich ergehen wie eine Überschwemmung. Ich redete kein Wort mit ihm. Am Morgen hatte ich mich nicht rasiert; ich verbrachte die zwei Stunden damit, mein stacheliges Kinn zu massieren, mit der seltsamen Überzeugung, daß dieser Bart vom Körper meines Quälgeistes hervorgebracht wurde.

Um sechs Uhr ging er.

Am selben Abend fragte mich Juliette, wann Claire wiederkäme.

– Sie kommt nicht wieder.

– Aber... gestern hat sie doch gesagt, sie...

– Gestern habe ich sie gebeten wiederzukommen, und sie hat »ja, ja« gesagt. Das bedeutet nein.

– Aber warum denn?

– Ich hab' es ihr von den Augen abgelesen; sie besucht uns nicht mehr. Schuld bin ich.

– Was hast du denn zu ihr gesagt?

– Nichts.

– Ich versteh' nicht.

– Doch, du verstehst. Zwing mich nicht, es zu erklären. Du hast genau verstanden.

Meine Frau sagte den ganzen Abend kein Wort mehr. Sie schaute drein wie eine Tote.

Am nächsten Morgen hatte sie neununddreißig Grad Fieber. Sie blieb im Bett. Ich setzte mich zu ihr. Oft versank sie in einen trüben, unruhigen Schlaf.

Um vier klopfte es.

Ich war im Obergeschoß, aber mein Gehör hatte sich in letzter Zeit überentwickelt, wie bei einem wachsamen Tier.

Ein Wunder geschah. Ich fühlte, wie ein Trieb von ungeahnter Kraft in mir aufstieg. Mein Brustkorb weitete, meine Kinnbacken spannten sich. Ohne eine Sekunde zu überlegen, stürmte ich die Treppe hinab, öffnete die Tür und bot mit stierem Blick meinem Gegner die Stirn.

Sein dickes Gesicht verriet nicht, daß er etwas bemerkte. Ich riß den Mund weit auf und spie ihm meine ganze Wut entgegen. Ich brüllte:

– Verschwinden Sie! Verschwinden Sie, und kommen Sie nie wieder, oder ich schwöre, ich hau' Ihnen in die Fresse!

Monsieur Bernardin reagierte nicht. Sein mimisches Repertoire war nicht groß, und Erstaunen gehörte nicht dazu. Ich sah nur, wie sein Gesicht dunkel anlief, und glaubte auch, etwas wie Ratlosigkeit zu erkennen, was meine Wut zum Sieden brachte.

Ich stürzte mich auf ihn, packte ihn beim Mantelkragen, schüttelte ihn mit athletischer Kraft wie ein Pflaumenbäumchen und schrie:

– Hau ab, du Nervensäge! Hau ab, und laß dich hier nie wieder sehn!

Ich stieß ihn weg wie einen Packen Unrat. Er wäre beinah gefallen, fand aber eben noch rechtzeitig das Gleichgewicht wieder.

Ohne einen Blick für mich drehte er sich um und ging mit seinen schweren, langsamen Schritten davon.

Verblüfft blickte ich dem massigen Kerl nach. So leicht war das also! Ich war wie versteinert vor Glück und Siegesstolz: Eben hatte ich den ersten Wutausbruch meines Lebens gehabt und war in einem Rausch. Welch ein Irrtum des Horaz, wenn er den Zorn einen Wahn nannte! Im Gegenteil, der Zorn war Weisheit. Wäre ich nur eher damit geschlagen worden!

Mit einer Bewegung wie bei einer Ohrfeige knallte ich die Tür zu. Fünfundsechzig Jahre Schwäche wurden mit einem Schlag abgestraft. Ich lachte schallend. Froh und stark wie ein siegreicher Feldherr sprang ich in vier Sätzen die Treppe hinauf und kam erst vor Juliettes Nachttisch zum Halt. Ich trug ihr mein Abenteuer im Stil eines Heldenlieds vor:

– Mach dir das klar! Er kommt nicht wieder, nie mehr! Ich kann dir schwören, wenn er wiederkommt, hau' ich ihm in die Fresse!

Meine Frau lächelte bekümmert. Sie seufzte:

– Na schön. Aber Claire kommt auch nicht wieder.

– Ich werde sie anrufen.

– Was willst du ihr sagen?

– Die Wahrheit.

– Willst du ihr sagen, daß du dich zwei Monate lang hast belästigen lassen, ohne eine Miene zu verziehen? Willst du eingestehen, daß du ihm aufgemacht hast, obwohl es doch ganz normal gewesen wäre, es nicht zu tun?

– Ich werde ihr sagen, daß er uns sonst die Tür eingeschlagen hätte.

– Dann würdest du zugeben, daß du dich von ihm hast ducken lassen? Daß du die paar Worte nicht herausgebracht hast, mit denen wir ihn losgeworden wären? Was hat dich gehindert, ihm energisch zu sagen, daß er nicht mehr kommen soll?

– Ich werde ihr erzählen, was ich heute getan habe. Ich hab' es doch wieder gutgemacht, oder?

Mild und betrübt sah Juliette mir in die Augen.

– Mußtest du es soweit kommen lassen? Wie du dich heute aufgeführt hast, das war übertrieben. Du bist grob und gewalttätig geworden. Du hast die Selbstbeherrschung verloren. Das war kein überlegtes Handeln, das war eine Explosion.

– Du wirst sehen, daß es gewirkt hat! Pfeif drauf, ob die Methode richtig war! Gib doch zu, daß Bernardin es nicht besser verdient hat!

– Gewiß doch. Aber hast du wirklich vor, Claire das alles zu erzählen? Glaubst du, damit kannst du dich brüsten?

Mir fiel keine Erwiderung mehr ein. Meine Freude war verflogen. Juliette drehte sich im Bett um und murmelte:

– Ihre Telefonnummer hat sie uns sowieso nicht dagelassen. Und die Adresse auch nicht.

Am nächsten Tag klopfte es um vier Uhr nachmittags nicht an die Tür.

Am übernächsten auch nicht. Und so fort.

Um drei Uhr neunundfünfzig spürte ich noch alle Symptome von Angst: Atemnot, kalten Schweiß; Pawlows Hund war nicht schlimmer dran.

Um Punkt vier waren alle Sinne so hellwach, daß ich kaum mehr wußte, wo ich selbst war.

Von vier Uhr eins an durchschauerte ein Tri-

umphgefühl meinen Körper; ich mußte mich zu-
sammennehmen, um nicht auf und ab zu hüpfen.
Diese Reaktion hielt tagelang an.

Im übrigen entzerrte sich mein Tagesablauf nun
schneller. Das verhaßte Gefühl der Erwartung verlor sich, aber es wurde ersetzt durch eines, das mit
Glück nichts zu tun hatte. Das Bernardin-Syndrom
hatte Nachwirkungen hinterlassen: Morgens stand
ich auf mit einem tiefen Eindruck, gescheitert zu
sein. Mit Vernunftgründen kam ich dagegen nicht
an; diese Empfindung gehörte in den Bereich des
Irrationalen.

Wenn ich meine augenblickliche Lage (Ende
März) mit der beim Einzug in unser Haus verglich
(Anfang Januar), konnte ich ja feststellen, daß ich
zum Ausgangspunkt zurückgekehrt war: Die Be-
dingungen waren wieder die gleichen. Niemand
ging uns mehr auf die Nerven, und die Tage verlie-
fen ungestört, wie ich es immer erträumt hatte, in
tiefer, welt- und zeitentrückter Stille.

Dazwischen freilich lag die Sache mit Claire.
Aber als ich hierher gezogen war, hatte ich nie ge-
hofft oder auch nur daran gedacht, daß das Mädchen
uns besuchen würde. Also hatte ich allen Grund anzunehmen, daß uns unser Glück unbeschadet zu-
rückgegeben worden war und daß wir nur wieder

darin eintauchen müßten wie in ein Becken mit warmem Wasser.

Aber ich merkte, daß ich dazu nicht fähig war. Die zwei Monate der Belagerung durch Monsieur Bernardin hatten etwas in mir zerbrochen, von dem ich nicht wußte, was es war, dessen Zerstörung ich jedoch mit schmerzhafter Deutlichkeit empfand.

Zum Beispiel liebte mich Juliette gewiß nun nicht weniger als vorher, aber zwischen uns bestand nicht mehr die Atmosphäre einer idyllischen Kindheit. Sie machte mir keine Vorwürfe mehr wegen meines Verhaltens gegen unseren Nachbarn und schien sogar die Angelegenheit vergessen zu haben. Das täuschte mich nicht über eine anhaltende Spannung in ihr hinweg: Sie besaß nicht mehr die wunderbare Fähigkeit zum hingebungsvollen Zuhören, die ich immer so sehr an ihr geschätzt hatte.

Gewiß, wir waren nicht unglücklich. Wir hatten nur etwas verloren, das uns ebenso unbekannt wie wichtig war. Ich tröstete mich, so gut ich konnte, vor allem unter Berufung auf das allgewaltige Argument der Zeit. Unfehlbar würde sie diese Klippe abschleifen. Bald würde die Erinnerung daran verblassen, bald würde es uns belustigen, davon zu sprechen.

Ich glaubte so sehr an diese Heilung, daß ich sie

vorwegnahm. Schon machte ich Witze über das Thema, lachte laut auf im Gedanken an manche Episoden der palamedischen Invasion, ahmte den stampfenden Tritt unseres Nachbarn nach oder warf mich in den Sessel, dessen Polster nun durchgesessen war und den wir weiterhin »seinen« Sessel nannten – ohne angeben zu müssen, wer sich hinter diesem Pronomen verbarg.

Juliette lachte mit. Aber mir schien – oder bildete ich es mir ein? –, daß es nicht von Herzen kam.

Manchmal sah ich, wie sie am Fenster stehenblieb und lange zum Nachbarhaus hinüberblickte, mit einer Miene unergründlicher Trostlosigkeit.

Ich darf die Nacht vom 2. zum 3. April nicht vergessen. Mein Schlaf war noch nie der beste gewesen, und seit der Geschichte mit Bernardin war er schlechter geworden. Ich brauchte Stunden, um einzuschlafen. Ich warf und wälzte mich im Bett herum, unter Flüchen gegen Bernanos, der behauptet hat, die Schlaflosigkeit sei der Gipfel der Willensschwäche. Natürlich, wenn man den bergeversetzenden Glauben hat, muß Einschlafen kinderleicht sein. Aber mit einem fetten Arzt als einziger metaphysischer Umgebung wird der Seelenfrieden unerreichbar.

Stundenlang lag ich so und ärgerte mich. Selbst Juliettes hypnotisch gleichmäßiger Atem konnte mich nicht beruhigen. Schließlich war ich gereizt gegen alles, sogar gegen die Stille des Waldes. Die Geräusche einer Stadt machen die Schlaflosigkeit weniger beängstigend. Hier gab es fast nichts außer dem Plätschern des Flüßchens, was mich ans Leben erinnerte – ein so schwaches Geräusch, daß ich die Ohren spitzen mußte, um es zu hören, und diese geringe Anstrengung verhinderte, daß mein Körper sich entspannte.

Nach und nach wurde das Wasser lauter. Was war da los? Plötzliches Hochwasser? Ob die Lichtung überflutet werden würde? Mein verwirrtes Hirn fing schon an, Pläne zu entwerfen: die Möbel ins Obergeschoß bringen, ein Floß bauen...

Ein Anfall von Bewußtheit ließ mich plötzlich bemerken, daß dieses Geräusch nichts Wäßriges hatte. Im Gegenteil, es war ein mechanisches, öliges Brummen, wie das Motorgeräusch eines Wagens.

Ich machte die Augen auf, um klarer überlegen zu können. Das Fahrzeug, das ich hörte, bewegte sich nicht von der Stelle. Möglich, dann kam dieser anhaltende Ton eben von weiter her – oder zumindest glaubte ich das, denn die Dezibel, die mich erreichten, schienen zuvor Hindernisse überwunden zu haben.

Mein Gehirn entschied, daß es sich um einen Trupp Holzfäller handelte, die hier in der Gegend Bäume absägten. Daran glaubte es fünf Minuten lang, bis ihm die Unsinnigkeit der Annahme klar wurde: Warum sollten sie zu dieser Stunde an der Arbeit sein? Außerdem hatte das Aufheulen einer Motorsäge keine Ähnlichkeit mit diesem gleichmäßigen Brummen.

Zu guter Letzt stand ich auf. Ich zog ein paar alte Schuhe und einen Mantel über und trat aus dem Haus. Das Geräusch kam von den Bernardins herüber. Aber keines der Fenster bei ihnen hatte Licht.

Ich schloß daraus, daß sie eine Art Generator haben mußten, um sich mit Strom zu versorgen. Trotzdem, merkwürdig, daß ich das Ding bisher nie gehört hatte. Und was für eine Idee, die Nacht abzuwarten, um es in Gang zu setzen! Aber bei einer Nervensäge wie Bernardin brauchte man sich ja über nichts zu wundern.

Das mußte die Erklärung sein: Unser Nachbar konnte uns nicht mehr von vier bis sechs quälen, und um sich schadlos zu halten, war ihm nichts Besseres eingefallen, als nachts seine Maschine anzustellen.

Verfluchter Idiot, dieser Palamède! So etwas Lächerliches sah ihm ähnlich. Denn letzten Endes störte er sich doch vor allem selbst mit diesem nächtlichen Lärm, den er in seinem Bett zehnmal so laut hören mußte wie ich. Das Verfahren war mit dem vorigen im Grunde identisch: Wenn er uns zwei Stunden pro Tag belästigte, ödete ihn das selbst noch mehr an als uns. Seine Devise schien zu lauten: »Verleide dir das Leben, in der Hoffnung, daß du es damit auch andern verleidest.«

Ich gab ihm mit lauter Stimme die Antwort. »Mein armer Palamède, du hast dir wohl gedacht, damit könntest du uns stören! Da solltest du Juliette mal schlafen sehn! Wenn ich nicht so einen schlechten Schlaf hätte, ich hätte deinen Kompressor überhaupt nicht gehört. Dir dagegen muß das jetzt vorkommen, als ob du in einem Kernreaktor wohnst.«

Ermuntert überschritt ich das Brückchen über den Fluß und betrat das Grundstück der Bernardins. Was für eine schöne Nacht! Kein Stern am Himmel, nur ebenholzfarbene Wolken, kein Windhauch, der Frühling noch regungslos in der lauen Luft.

Als ich das Haus umschritt, bemerkte ich Licht in ihrer Garage: Das mußte der Platz sein, wo sie den Generator aufgestellt hatten. Auch das Geräusch kam von dort. Der Nachbar hatte wohl vergessen, das Licht auszuknipsen.

Ich ging bis ans Fenster, um die Maschine zu sehen. Die Garage war voller Qualm; es dauerte eine Weile, bis ich erkennen konnte, was dort vorging. Das Geräusch kam von dem Motor des Wagens.

Eine Viertelsekunde später hatte ich begriffen. Ich warf mich gegen die Tür; sie war abgeschlossen. Dann sprang ich zum Fenster hoch und schlug es mit dem Ellbogen ein, kletterte an der Wand hinauf und ließ mich nach innen fallen, stellte die Zündung des Wagens ab und schob die Garagentür hoch, ohne mir die Zeit für einen Blick auf den Körper zu nehmen, der ausgestreckt auf dem Boden lag.

Dann faßte ich Palamède unter den Achseln und schleppte ihn an die frische Luft.

Sein Puls ging noch, aber der Dicke schien in einem kritischen Zustand zu sein. Die Gesichtsfarbe war grau, und etwas wie erbrochener Brei bedeckte das Kinn. Was tun? Der Arzt war doch er. Ich mit meinem Latein und Griechisch konnte ihn nicht ins Leben zurückholen.

Ich mußte den Notarzt anrufen. Aber nicht aus seinem Haus; ich hatte zuviel Angst, Bernadette zu begegnen. Ich lief zu uns hinüber und rief die Erste Hilfe an. »Wir schicken eine Ambulanz«, sagte man mir, aber das Krankenhaus war Gott weiß wo.

Verrückt vor Aufregung kehrte ich zu dem Nachbarn zurück. Sein Körper schien so etwas wie ein Röcheln abzugeben. Ich wußte nicht, ob das ein gutes Zeichen war oder ein schlechtes. Ich schüttelte ihm die Arme, als ob ich ihn damit ins Leben zurückrufen könnte.

Ich begann ihm eine Rede zu halten:

– Du verdammte Nervensäge! Du schreckst wohl vor nichts zurück, was? Sogar verrecken würdest du, bloß um uns zu nerven! So geht das nicht, mein Lieber! Ich lass' dich nicht krepieren, hast du mich gehört? So einen Dreckskerl wie dich hat die Welt noch nicht gesehn!

Es schien ihm keinen großen Eindruck zu machen. Derjenige, auf den diese Beschwörungen wirkten, war ich. Ich ließ mich davon nicht abhalten.

– Was denkst du dir denn? Wir sind doch hier nicht im Theater. Es genügt nicht, den Vorhang fallen zu lassen, wenn man meint, es ist Schluß. Und wenn das Stück so schlecht ist, na schön, dann bist du schuld! Auch ich könnte eine amorphe Larve sein: Jeder hat das in sich, einen dicken, starren

Kloß; man braucht sich nur gehenzulassen, damit der zum Vorschein kommt. Niemand ist jemandes Opfer, wenn nicht sein eigenes. Eine Behinderte geheiratet zu haben ist ein schöner Vorwand, um selbst ein Idiot zu werden. Wenn du sie geheiratet hast, dann deshalb, weil du schon immer ein stupider Typ warst, der in ihr seine andere Hälfte und sein Ideal erkannt hat. Bernadette war dir von Anfang an wie auf den Leib geschnitten. Noch nie hab' ich ein Paar gesehn, das so gut zusammenpaßt. Wenn man die Frau seines Lebens gefunden hat, bringt man sich doch nicht um! Ist doch wahr: Was soll denn aus ihr werden, ohne dich? Hast du dir das mal überlegt, bevor du aus deiner Garage eine Gaskammer machtest? Was hast du dir dabei gedacht? Daß wir uns um sie kümmern würden? Was nicht noch alles? Denkst du, wir sind die Heilsarmee?

Ich brüllte immer lauter, wie übergeschnappt:

– Was für eine Idee auch, wenn du schon Arzt bist, es auf diese Weise zu machen! Hattest du denn keine Schachtel Tabletten herumliegen? Nein, natürlich mußtest du dich für die widerlichste Methode entscheiden. Schlechter Geschmack in allen Dingen, das ist deine Devise. Es sei denn… ja, es war die einzige Methode, die dir einen Ausweg ließ. Hättest du Medikamente geschluckt oder dich aufgehängt, hätte ich dich nicht hören können. Mit deiner Karre hattest du eine Chance, daß ich dir das Leben rette. Und ich bin dir auf den Leim gegangen, wie gewöhnlich! Ich frage mich, was mich hindert, dich wieder hineinzuschleppen, den Motor wieder einzuschalten und die Tür zu schließen. Ja, warum tu' ich's nicht?

Von Sinnen, wie ich war, hätte ich es, glaube ich, getan, wäre in diesem Augenblick nicht die Sirene des Ambulanzwagens ertönt.

Die Sanitäter luden ihn ein und fuhren mit ohrenbetäubendem Lärm davon.

Beinahe hätte ich sie angefleht, mich gleich mitzunehmen. Etwas in mir funktionierte nicht mehr richtig. Ich wankte zu unserm Haus, wo ich Juliette in heller Aufregung fand. Die Sirene des Ambulanzwagens hatte sie geweckt. Ohne Umschweife erzählte ich ihr alles. Sie wurde blaß und mußte sich setzen. Die Hände vors Gesicht geschlagen, murmelte sie:

– Wie furchtbar! Wie furchtbar!

Ihre Reaktion machte mich erst recht wütend.

– »Was für ein Scheusal!« willst du wohl sagen. Ich verbiete dir, ihn zu bemitleiden! Begreifst du denn nicht, daß er Komödie gespielt hat, nur um uns auf die Nerven zu gehn?

– Aber Émile...

– Man könnte meinen, du kennst ihn noch nicht! Und ich Trottel, ich habe mich auf sein Theater eingelassen! Jetzt kann er den Märtyrer spielen. Man hätte ihn verrecken lassen sollen, aber ja! Ich habe nicht nur eine schöne Gelegenheit verpaßt, ihn loszuwerden, sondern von nun an werden wir uns gegen ihn auch noch wie der heilige Bernhard betragen müssen. Wir werden ihn die ganze Zeit auf dem Hals haben.

Juliette sah mich befremdet an. Zum ersten Mal in sechzig Jahren sprach sie zu mir in scharfem Ton:

– Ist dir klar, was du da redest? Das Scheusal bist du! Wie kannst du so etwas Gräßliches glauben? Hättest du nicht wach gelegen, hättest du ihn gar nicht gehört, und er wäre jetzt tot. Du redest wie ein Mörder, wie ein richtiger Mörder!

– Mörder? Du vergißt, ich hab' ihm das Leben gerettet.

– Das war deine Pflicht! Von dem Moment an, als du begriffen hattest, was passierte, war es deine Pflicht. Hättest du ihn sterben lassen, wärst du ein Mörder. Und was du eben gesagt hast, ist schändlich.

»Wenn sie wüßte, daß ich ihn beinah wieder in seine Gaskammer zurückgebracht hätte!« dachte ich bei mir – aber inzwischen war ich mit mir selbst nicht mehr sehr zufrieden.

– Und Bernadette? fügte sie hinzu, etwas besänftigt.

– Ich hab' sie nicht gesehn. Meiner Ansicht nach weiß sie von nichts.

– Müssen wir ihr nicht Bescheid sagen?

– Du meinst, sie würde es verstehen? Ich möchte wetten, im Augenblick schläft sie. Das ist das Beste, was sie tun kann.

– Und morgen beim Erwachen sieht sie, daß er nicht da ist. Sie wird in Panik geraten.

– Warten wir ab bis morgen!

– Wie, du möchtest, daß wir wieder zu Bett gehn und weiterschlafen! Als ob man nach so was noch schlafen könnte!

– Was schlägst du denn vor?

– Daß du ins Krankenhaus fährst und ich zu ihr gehe.

– Bist du verrückt? Sie wiegt fünfmal soviel wie du. Sie könnte dich umbringen!

– Sie ist nicht gewalttätig.

– Ich hätte zuviel Angst um dich. Ich werde zu ihr gehen. Im Krankenhaus können sie mich nicht gebrauchen.

– Ich komme mit.

– Nein. Jemand muß im Haus bleiben. Ich habe den Sanitätern unsere Telefonnummer gegeben.

– Dann geh und halte bei ihr Wache. Jemand muß bei ihr sein, wenn sie erwacht, damit sie keine Zeit hat, sich Sorgen zu machen.

– Ich finde, wir sind ziemlich zuvorkommend gegen diese Leute.

– Émile, das ist das mindeste, was wir tun können! Und wenn du nicht gehst, dann gehe ich.

Ich seufzte. Es bringt nicht nur Vorteile, eine Frau mit goldenem Herzen zu haben. Aber wenigstens in einem Punkt hatte sie recht: Ich hätte ohnehin nicht mehr einschlafen können.

Ich nahm eine Taschenlampe und küßte meine Frau zum Abschied, wie ein Soldat, der an die Front geht.

Die Tür zwischen der Garage und dem Inneren von Bernardins Haus war nicht abgeschlossen. Ich trat ein. Im Schein meiner Lampe sah ich eine Küche. Ein fauliger Geruch drang mir in die Lungen; ich wagte nicht, mir vorzustellen, was die Bernardins gegessen haben mochten. Abfälle lagen auf dem Boden, die ich nicht näher zu bestimmen versuchte. Ich hatte nur einen Gedanken: nichts wie weg von dieser Müllhalde und irgendwohin, wo man wieder atmen konnte.

Ich machte die Küchentür auf und hinter mir wieder zu, um die Ausbreitung des Geruchs zu verhindern. Nützte nichts: derselbe Gestank erfüllte das Wohnzimmer. Es war ekelhaft. Wie konnten Menschen darin hausen? Und noch dazu ein Arzt: Wie konnte er solchermaßen gegen die einfachsten Regeln der Hygiene verstoßen?

Meine Nase analysierte die Duftmischung auf ihre Komponenten hin: Den Grundton bildeten altes Lauchgemüse, ranziges Fett und Hammeltalg; hinzu kam ein starker Beiklang von oxydiertem Metall. Letzteres war am schlimmsten, denn es erinnerte an nichts Menschliches, Tierisches oder Pflanzliches: Noch nie hatte ich etwas so Widerliches gerochen.

Ich fand einen Lichtschalter und knipste an. Bei dem Anblick, der sich mir bot, bekam ich eine unbändige Lust zu lachen. Wenn die Geschmacklosigkeit ein solches Maß erreicht, kann man nicht anders. Trotzdem war ich erstaunt: Im allgemeinen huldigt ein kitschiges Mobiliar allzu sehr dem Behaglichen – dem, was die Deutschen »Gemütlichkeit« nennen. Hier hätte man glauben können, sich in einem nach dem Geschmack einer Hauswärterin ausstaffierten Wartesaal zu befinden: Es war dreckig, kalt und komisch zugleich.

An den Wänden keinerlei Bilder, wenn man von Palamèdes medizinischem Diplom absah, das pompös wie ein Stalin-Porträt eingerahmt war. Unglaublich, daß ein Namensvetter des Barons Charlus den Geschmack am Häßlichen und Vulgären so weit treiben konnte!

Bevor die Lachlust mich überwältigen konnte, erinnerte ich mich meines Auftrags. Ich stieg ins Obergeschoß hinauf. Die Treppe war wie mit einem Teppich von festklebenden Staubflusen bedeckt. Oben angelangt, blieb ich stehen und horchte. Mir schien, ich hörte ein Röcheln.

Ich hätte am liebsten Reißaus genommen. Dieses kehlige Geräusch hatte nichts mit einem Schnarchen gemein; ähnliche Laute mußte ein Tier bei der Paarung ausstoßen. Diese Möglichkeit schloß ich aus: Ich hätte sie nicht ertragen können.

Die erste Tür auf dem Flur ging in eine Rumpelkammer. Die zweite auch. Die letzte in ein Badezimmer. Ich mußte mich dem Augenschein beugen: Eine der Rumpelkammern war ein Schlafzimmer.

Ich kam zur zweiten Tür zurück und machte sie weit auf. Das Röcheln verriet mir, daß ich richtig war. Ängstlich betrat ich Bernadettes Höhle. Meine Lampe streifte über nicht genau erkennbare Dinge hin und traf schließlich auf eine Matratze, die mit einer leicht bewegten Masse bedeckt war.

Sie war es. Ihre Lider waren geschlossen: Zu meiner Beruhigung erkannte ich, daß das Röcheln oder Stöhnen ihr Atemgeräusch war. Sie schlief.

Ich machte Licht. Eine scheußliche Deckenlampe verbreitete eine Helligkeit wie in einem Operationssaal. Madame Bernardins Schlaf wurde nicht gestört. Freilich, wenn sie von ihren eigenen Dezibeln nicht wach wurde, dann konnte wohl nichts sie wecken.

Die Eheleute schliefen getrennt. Ich nahm an, daß Palamède die andere Rumpelkammer innehatte. Auf dem Haufen Tücher, der der Zyste als Bett diente, war jedenfalls kein Platz für einen zweiten Körper, schon gar nicht für einen so dicken.

Aus Motiven, deren Natur ich lieber nicht ergründen will, fühlte ich mich bei dem Gedanken, daß sie nicht zusammen schliefen, erleichtert. Außerdem traf es sich jetzt gut: Dank der nächtlichen Trennung wußte Bernadette nichts von seiner Tat und behielt einige Stunden länger ihre Ruhe.

Ich setzte mich nahebei auf ein Sitzkissen aus Plastik und begann meine Wache. Eine große Wanduhr mir gegenüber zeigte vier Uhr morgens an. Ich lächelte bei dem Gedanken, daß die Stunde genau der entgegengesetzt war, zu der sonst Bernardin uns belästigt hatte. Ich bemerkte, daß sich im gleichen Raum noch drei andere Wanduhren und ein Wecker befanden, und alle zeigten auf die Sekunde die gleiche Zeit an. Ich erinnerte mich, daß auch das Wohnzimmer, die Treppe und der Flur mit Uhren bestückt gewesen waren, sicherlich alle ebenso perfekt genau wie die in diesem Zimmer.

Diese an und für sich schon ungewöhnliche Einzelheit fiel um so mehr auf inmitten einer solchen Schlamperei: Die Räume waren verdreckt und ungelüftet, sie quollen über vor Kartons mit widerlichem alten Trödel, und trotzdem wachte in all der Verwahrlosung jemand mit krankhafter Gewissenhaftigkeit darüber, daß die genaue Uhrzeit omnipräsent blieb.

Allmählich begriff ich, warum Palamède immer so pünktlich gekommen war. Hätte er für sich eine selbstmörderische Inneneinrichtung erfinden wollen, so hätte er es nicht besser machen können: So wie dieses Haus – so abscheulich, trostlos, übelriechend, grotesk, dreckig und unbequem, vor allem aber überwuchert von auf die Hundertstelsekunde genau eingestellten Uhren, die einen fünffach in jedem Zimmer daran erinnerten, daß die Zeit über uns hinwegrollt –, so mußte die Hölle sein.

Ein bellendes Luftschnappen von Madame Bernardin lenkte meine Aufmerksamkeit wieder auf sie. Ob sie Asthmatikerin war? Ihre ruhige Lage sprach dagegen. Ich beobachtete sie: In einem regelmäßigen Zyklus hob sich ihre gewaltige Brust wie eine Montgolfière, die sich nach Erreichen der vollen Aufblähung in einem einzigen jähen Nachlassen verströmte und dabei jedesmal diesen monströsen Stöhnlaut abgab. Kein Grund zur Besorgnis also, dies war ein nach den Gesetzen der Physik erklärliches Phänomen.

Wenn ich es recht bedachte, hatte ich noch nie jemanden gesehen, der mit solcher Gewissenhaftigkeit schlief; man hätte sagen können, sie schlief hingebungsvoll. Ich musterte, was bei ihr die Stelle des Gesichts einnahm, und war verblüfft, einen geradezu wollüstigen Ausdruck darin zu entdecken. Ich erinnerte mich an das Röcheln, das mir im Flur wie der Laut bei einem tierischen Orgasmus vorgekommen war. Der sexuelle Verdacht war falsch, aber Bernadette verspürte zweifellos etwas wie Lust. Der Schlaf erregte sie.

Mir kamen sonderbare Gefühle. Die genießerische Haltung dieses Fettklumpens hatte etwas Rührendes. Ich ertappte mich bei dem Gedanken, daß Bernadette ihrem Mann einiges voraushatte. Ihr Leben war nicht sinnlos, denn sie kannte die Lust. Sie hatte Freude am Schlaf, sie hatte Freude am Essen. Was lag daran, ob dies nun höhere oder niedere Regungen waren: Lust erhebt den Menschen, wodurch immer sie erregt wird.

Palamède dagegen hatte an nichts Freude. Ich hatte ihn nie schlafen gesehn, hatte aber allen Grund anzunehmen, daß er es wie alles übrige mit Widerwillen tat. Zum ersten Mal begriff ich, daß wir die Tatsachen verkehrt aufgefaßt hatten: Nicht er war zu bedauern, weil er fünfundvierzig Jahre mit ihr verbracht hatte, sondern sie. Ich fragte mich, welche Gefühlsregungen sie kannte. Wie würde sie die Nachricht von seinem Selbstmordversuch aufnehmen? Ob sie die Bedeutung dieses Wortes verstehen würde?

Mit so etwas wie Zuneigung murmelte ich vor mich hin:

– Wenn er tot wäre, wer würde dann jetzt auf dich aufpassen? Kannst du überhaupt die Hände gebrauchen – oder sagen wir, die Tentakel? Wie verbringst du den Tag? Man kann ja nicht ununterbrochen essen und schlafen. Weißt du, an wen du mich erinnerst? An Regina, die Hündin meiner Großmutter. Als Junge hab' ich sie geliebt. Ein großer alter Hund, der sein Leben abwechselnd mit

Schlafen und mit Fressen verbrachte. Regina ist immer nur zum Fressen aufgewacht, und wenn sie damit fertig war, ist sie sofort wieder eingeschlafen. Um sie auch nur zehn Meter von der Stelle zu bewegen, mußte man sie ziehen. Verbringst du deine Zeit genau wie Regina?

Seit mindestens fünfzig Jahren hatte ich an die dicke Hündin nicht mehr gedacht. Bei der Erinnerung mußte ich lächeln.

– Die Leute machten über sie Witze. Ich aber liebte sie. Ich hatte sie beobachtet: Sie hatte beschlossen, nur noch dem Vergnügen zu leben. Wenn sie fraß, wedelte sie mit dem Schwanz. Und wenn sie schlief, war es wie bei dir: Ihr Körper dehnte sich wollüstig. Im Grunde seid ihr Philosophen, ihr beide.

In meinen Augen war es keine Beschimpfung, wenn man jemanden mit einem Tier verglich. Jeder, der die griechischen und lateinischen Schriftsteller gelesen hat, weiß, wieviel Achtung wir dem »Reich« schulden. Unnötig, zu ergänzen, dem »Tierreich«, denn, o Treffsicherheit der Wörter, ein Menschenreich gibt es ja nicht.

Ich betrachtete Madame Bernardin mit Ergriffenheit. Ihr fettgepolsterter Schlaf war das besänftigendste Schauspiel, das man sich denken kann.

Ich begann zu hoffen, daß sie nie mehr erwachen würde.

Und das Unwahrscheinliche geschah: Ich, den doch alles, und besonders in dieser Nacht, zum Opfer der Schlaflosigkeit bestimmte, ich konnte die Augen nicht mehr offenhalten, in den Schlaf gewiegt von Bernadettes gleichmäßigem Röcheln.

Mit einem Ruck wurde ich wach. Von ihrer Matratze her wagte die Zyste mich kaum anzusehen; sie äußerte ihre Besorgnis durch leise Grunzlaute.

Eine Armada von Uhren hämmerte mir ein, daß es acht Uhr morgens war. Ich erinnerte mich meines Auftrags. Verlegen und so schonend wie möglich, begann ich:

– Bernadette... Ihr Mann hat einen kleinen Unfall gehabt. Er ist im Krankenhaus. Machen Sie sich keine Sorgen, er ist außer Gefahr.

Madame Bernardin reagierte nicht. Sie sah mich immer noch an. Ich hielt eine Erklärung für nötig:

– Er hat versucht, sich umzubringen. Ich habe es verhindert. Verstehen Sie?

Ob sie verstanden hatte, habe ich nie erfahren. Sie ließ den Kopf auf ihr Lager zurücksinken. Ein Poet hätte gesagt, ihre Miene sei nachdenklich gewesen, aber tatsächlich hatte sie überhaupt keine Miene.

Schlaff, ratlos und entmutigt ging ich fort. Jedenfalls, meine Pflicht hatte ich getan. Was hätte ich sonst noch tun sollen?

Beim Verlassen des Nachbarhauses erstaunte mich die Reinheit der Luft; sie blendete mich mehr als das Licht. Wie hatte ich in dieser stinkenden Höhle nur atmen können? Ich war froh, zu den Lebenden zu gehören.

In unserem Haus kam Juliette mir entgegen und umarmte mich.

– Émile, ich hab' so eine Angst gehabt!

– Was Neues vom Krankenhaus?

– Ja, es geht ihm gut. Übermorgen kommt er heim. Die Ärzte haben ihn nach dem Motiv seiner Tat befragt. Er hat keine Antwort gegeben.

– Alles andere hätte mich gewundert.

– Sie haben ihn gefragt, ob er es wieder tun wird. Er hat nein gesagt.

– Na, wir werden sehn! Wissen sie denn dort, daß er selbst Arzt ist?

– Keine Ahnung. Warum? Was würde das ändern?

– Mir scheint, der Selbstmordversuch eines Arztes ist immerhin etwas, das Aufmerksamkeit verdient.

– Mehr als der eines anderen?

– Vielleicht. Es ist gewissermaßen ein Bruch des hippokratischen Eides.

– Erzähle mir lieber, wie Bernadette es aufgenommen hat.

Ich berichtete ihr über die letzten Stunden. Genüßlich schilderte ich das Innere des Bernardinschen Hauses. Juliette schrie auf vor Abscheu und kicherte fast gleichzeitig.

– Glaubst du, daß wir uns um sie kümmern müssen? fragte sie.

– Ich weiß nicht. Womöglich schaden wir ihr dann mehr, als wir ihr nützen.

– Wenigstens muß sie etwas zu essen bekommen. Wir bringen ihr Suppe.

– Schokoladensauce?

– Zum Nachtisch. Und vorher eine große Schüssel Gemüsesuppe. Ich nehme an, sie ißt nicht wenig.

– Das wird ein Festessen für sie. Meiner Ansicht nach wird sie ohne ihren Mann zwei herrliche Tage verleben.

– Wer weiß. Vielleicht liebt sie ihn.

Ich sagte nichts dazu, aber Palamède zu lieben schien mir unmöglich.

In Mauves haben wir fast alles Gemüse aufgekauft, das es im Laden gab. Nachdem wir zurück waren, kochten wir einen großen Topf Suppe. Ich blickte in den brodelnden Sud, wie er Lauch und Sellerie immer wieder an die Oberfläche spie: Es sah aus wie ein Sturm auf hoher See, wenn die Algen mit dem Plankton tanzen. Ich stellte mir die Zukunft dieser ozeanischen Brühe in den Eingeweiden der Zyste vor: eine Mahlzeit wie für einen Walfisch, sowohl der Zusammensetzung wie der Menge nach.

Gegen Mittag haben Juliette und ich dann ein Tablett ans andere Ufer des Flüßchens geschafft. Auch zu zweit war es nicht leicht zu tragen: ein Topf mit Suppe und ein Schälchen Schokoladensauce. Meine Frau lachte angewidert, als wir die Küche betraten:

– Das ist ja noch schlimmer, als du gesagt hast!

– Der Geruch oder der Anblick?

– Alles.

Unten war niemand, wir stiegen ins Obergeschoß hinauf. Madame Bernardin hatte ihre Matratze nicht verlassen. Sie schlief weder, noch tat sie sonst etwas; ihr inneres Behagen erübrigte jede Beschäftigung. Juliette äußerte Gefühle, deren Aufrichtigkeit mich überraschte:

– Bernadette, ich habe viel an Sie gedacht. Ihr Mut ist bewundernswert. Das Krankenhaus hat angerufen: Ihrem Mann geht es sehr gut; übermorgen ist er wieder da.

Wir haben nie erfahren, ob sie verstanden oder auch nur zugehört hatte. Die Umarmung meiner Frau hatte sie sich gefallen lassen, wobei sie den Blick fest auf die kleine Schale gerichtet hielt. Ihr Geruchssinn hatte ihr den Inhalt sofort verraten. Obwohl sie im übrigen ruhig dalag, begann sie zu glucksen und die Tentakel nach dem Objekt ihrer Begierde auszufahren.

– Ja, wir haben Ihnen zwei verschiedene Suppen mitgebracht. Mit der großen müssen Sie anfangen; die andere gibt es zum Nachtisch.

Davon wollte die Dicke nichts hören. Warum sollten wir uns auch über die Reihenfolge der Gerichte Gedanken machen? Juliette gab ihr die Saucenschale; die Nachbarin strampelte und sabberte vor Aufregung. Ihre Tentakel schlossen sich um diesen Schatz und führten ihn zum Mund. Sie trank den Inhalt laut stöhnend in einem Zug.

Der Anblick war erheiternd und abstoßend zugleich. Meine Frau lächelte mit dem einen Mundwinkel, während sie mit dem anderen gegen das Erbrechen ankämpfte.

Die Zyste stellte die leere Schale wieder auf das Tablett; sie hatte die Ränder abgeleckt, bis sie blitzsauber waren. Die lange Zunge kam noch einmal heraus, um Kinn und Schnurrbart zu reinigen. Dann geschah etwas Rührendes: Madame Bernardin stieß einen Seufzer aus – einen nicht enden wollenden Seufzer des Wohlbehagens mit einem Beiklang von Enttäuschung, weil sie schon fertig war.

Juliette schöpfte Gemüsesuppe in eine Schüssel und hielt sie ihr hin. Bernadette schnüffelte neugierig, schlürfte einen Löffel voll und schien angenehm berührt. Sie schlang die Brühe glucksend hinunter.

– Ich hätte die Suppe durch ein Sieb passieren sollen, sagte meine Frau, als sie sah, daß die Gemüsefetzen nicht durch die Mundöffnung paßten und am Kinn klebenblieben wie Tang am Meeresstrand.

Dann stieß die Nachbarin einen Walfischrülpser aus und ließ sich auf ihr Lager zurücksinken. Eine Sekunde lang glaubte ich in ihrem Blick den Ausdruck einer alten Königin zu lesen, die zu ihren Untertanen sagt:

– Danke, ihr guten Leute, ihr könnt nun gehen.

Sie machte die Augen zu und schlief sofort ein. Ihr Röcheln vermischte sich mit Verdauungsgeräuschen, die sich wie das Rumpeln einer Waschmaschine anhörten.

Gerührt und angeekelt flüsterte ich:

– Lassen wir das Geschirr da, und gehn wir.

Am nächsten Tag passierte Juliette die Suppe durch ein Sieb.

An zwei aufeinanderfolgenden Tagen fanden wir den Topf geleert und Madame gesättigt. Sie verließ ihr Zimmer nicht, außer um ihre Bedürfnisse zu verrichten – wir waren erleichtert, ihr wenigstens dabei nicht helfen zu müssen.

– Wenn du meine Meinung hören willst: Bernadette verbringt jetzt die glücklichsten Tage ihres Lebens.

– Glaubst du? fragte meine Frau.

– Ja. Zunächst mal kochst du mit Sicherheit besser als ihr Mann, und weil Nahrung in ihrem Dasein das Wichtigste ist, bedeutet die Veränderung für sie eine herrliche Revolution. Aber am besten ist, daß wir sie in Frieden lassen. Ich bin überzeugt, Palamède zwingt sie, aufzustehen und ins Wohnzimmer hinunterzusteigen, ohne jeden Grund.

– Warum sollte er das tun?

– Einfach um sie zu nerven. Das ist seine fixe Idee.

– Vielleicht auch, um sie zu waschen. Oder sie umzuziehen.

Ich lachte beim Gedanken an Madame Bernardins Nachthemd: ein Titanengewand aus Polyester,

mit Wiesenblumen bedruckt, der Kragen aus Web-
spitzen.

– Meinst du nicht, daß man sie mal baden sollte?
regte Juliette an.

Für einen Augenblick sah ich eine Badewanne
voll weißlicher Fleischwülste vor mir.

– Ich meine, das überlassen wir ihrem Gatten.

Am übernächsten Tag rief man uns aus dem Krankenhaus an: Man gab uns grünes Licht, die andere
Hälfte des Paares abzuholen.

– Ich fahre allein hin. Du mußt dich um die
Suppe für die Zyste kümmern.

Als ich hinter dem Lenkrad meines Wagens saß,
fand ich es verrückt, daß ich ihn abholte. »Man
sollte ihn dort lassen«, dachte ich.

Im Büro ließ man mich einen Stoß unverständ-
licher Papiere unterschreiben. Monsieur Bernardin
erwartete mich ungerührt auf einem Flur. Die
ganze Öde dieser Welt lastete auf seinem Stuhl. Als
er mich sah, setzte er die verdrossene Miene auf, die
er immer für mich hatte. Er sagte nichts, kam mit
seiner Körpermasse auf die Beine und folgte mir.
Ich bemerkte, daß die Schwestern seine Kleidung
nicht gereinigt hatten, denn sie wies immer noch
Spuren von Erbrochenem auf.

Während der Fahrt redete er kein Wort. Mir war es recht. Ich erzählte ihm, daß wir seine Frau während seiner Abwesenheit mit Essen versorgt hatten. Er reagierte auf nichts, hatte für nichts auch nur einen Blick. Ich fragte mich, ob die Gasvergiftung nicht die wenigen geistigen Fähigkeiten, die er noch besaß, beschädigt hatte.

Es war schönes Wetter an diesem Tag, ein Aprilanfang, wie er im Buche steht, mit Blumen, so leicht wie Maeterlincks summende Heldinnen. Wenn ich einen Selbstmordversuch überlebt hätte, sagte ich mir, würde ein so herrlicher Frühling mir das Herz erschüttern, daß ich heulen müßte. Diese Landschaft voller Erneuerung hätte mich an meine eigene Wiederauferstehung erinnert und mich zutiefst mit der Welt versöhnt, die ich hatte verlassen wollen.

Augenscheinlich hatte Palamède für all dies keinen Sinn. Ich hatte ihn noch nie so in sich versunken gesehen.

Ich hielt vor seiner Tür. Als wir uns trennten, fragte ich ihn, ob er Hilfe brauche.

– Nein, knurrte er.

Er hatte die Verfügung über die Sprache also nicht eingebüßt – wenn man einen so sparsamen Gebrauch als Verfügung bezeichnen konnte.

Die Frage entschlüpfte mir, die mir schon die ganze Zeit auf den Lippen brannte:

– Wissen Sie, daß ich es bin, der Ihnen das Leben gerettet hat?

Da bewies Monsieur Bernardin zum ersten Mal eine beängstigende Eloquenz. Nicht, daß er sein Vokabular bereichert hätte, aber er spielte sein Schweigen und seinen Blick aus wie ein geübter Rhetor. Er heftete seine empörten Augen in die meinen, dehnte sein Schweigen bis an die Grenze des Erträglichen aus, und als ihm die Dauer meines Atemstillstands hinreichend erschien, sagte er:

– Ja.

Dann drehte er sich um und ging in sein Haus.

Wie erfroren kam ich heim. Juliette fragte mich, wie es ihm ginge. Ich antwortete:

– Wie gewöhnlich.

– Ich habe noch mehr Suppe gemacht als gestern. Ich habe sie ihnen gut sichtbar auf den Tisch im Wohnzimmer gestellt.

– Nett von dir, aber laß ihn in Zukunft selber sehn, wie er zurechtkommt.

– Meinst du nicht, daß es ihn freuen würde, wenn ich für ihn koche?

– Juliette, du hast es noch nicht begriffen: Ihn freut nichts!

Am nächsten Morgen stand der Suppentopf vor unserer Tür; der Inhalt war unberührt.

Die Wochen verstrichen. Entgegen meinen Befürchtungen kam der Nachbar kein einziges Mal zu uns. Er steckte kaum einmal die Nase ins Freie. Dabei forderte der April in all seiner Lieblichkeit doch dazu heraus: Juliette und ich hielten uns stundenlang im Garten auf. Wir nahmen dort das Frühstück ein und sogar das Mittagessen. Wir machten lange Spaziergänge im Wald, wo die Vögel uns den von Janáček bearbeiteten und verbesserten *Sacre du printemps* vorspielten.

Palamède kam nur aus dem Haus, um mit dem Wagen ins Dorf zu fahren. Einkaufen war das einzige soziale Element seines Daseins.

Dann kam der Mai, der Wonnemonat – ich sage das ohne Ironie: Als armer Stadtmensch, wie ich es immer gewesen war, erfreute ich mich rückhaltlos an den tausend Zierereien der Natur, und kein Gemeinplatz war mir zu billig. Die spröde Koketterie der Maiglöckchen versetzte mich in höchst aufrichtige Gefühlsbewegungen.

Ich erzählte meiner Frau die Legende vom Fliederwald, wie das blauweiße Geflimmer im Garten sie mir eingab. Juliette behauptete, noch nie eine so schöne Geschichte gehört zu haben; ich könnte sie ihr jeden Tag von neuem erzählen.

Monsieur und Madame Bernardin waren wohl für dergleichen Frühlingskitsch nicht empfänglich; man sah sie nie in ihrem Garten. Die Fenster bei ihnen waren immer geschlossen, als wollten sie ihren kostbaren Gestank nicht entweichen lassen.

– Da lohnt es sich doch für ihn, daß er auf dem Land wohnt, sagte Juliette.

– Vergiß nicht, er wohnt hier, um seine Frau verborgen zu halten. Palamède sind die Blümchen auf der Wiese von Herzen schnurz.

– Und ihr? Ich bin mir sicher, sie mag die Blumen und sie wäre entzückt, sie zu sehen.

– Er schämt sich wegen seiner Frau, er will nicht, daß man sie zu Gesicht bekommt.

– Aber wir wissen doch schon, wie sie aussieht. Und außer uns ist hier niemand.

– Das Glück seiner Frau ist nicht sein oberster Gedanke.

– Was für ein Schuft! Die Arme so einzusperren! Und das sollen wir dulden?

– Was willst du denn tun? Sein Verhalten hat nichts Rechtswidriges.

– Und wenn wir hingingen, um sie auszuführen, wäre das rechtswidrig?

– Hast du sie laufen gesehn?

– Sie soll ja nicht weit laufen. Wir bringen sie in den Garten, damit sie die Blumen sieht und die reine Luft atmet.

– Dazu wird er nie seine Einwilligung geben.

– Wir fragen ihn gar nicht! Wir überrumpeln ihn, gehn einfach zu ihm und sagen: »Wir möchten Bernardette abholen, sie bleibt den Nachmittag bei uns auf der Terrasse.« Was riskieren wir dabei?

Nicht eben begeistert, mußte ich doch zugeben, daß sie recht hatte. Nach dem Frühstück gingen wir hinüber und klopften bei den Bernardins (ich kam mir vor wie in der verkehrten Welt). Niemand öffnete. Ich begann drohend gegen die Tür zu hämmern, so wie es Palamède im Winter gemacht hatte, aber ich hatte nicht seine Kraft. Keine Reaktion von drinnen.

– Und da hab' ich mich noch verpflichtet gefühlt, ihn reinzulassen! rief ich, während mir die Fäuste brannten.

Schließlich machte Juliette einfach die Tür auf und trat ein. Wie mutig sie war, dieses fünfundsechzigjährige Mädchen! Ich folgte ihr. Der Geruch in diesem Alptraum von einem Haus war noch schlimmer geworden.

Monsieur Bernardin saß im Wohnzimmer in

einen Sessel geflezt, umgeben von seinen Uhren. Mißmutig und entgeistert blickte er uns entgegen. Er schien uns als Nachbarn nun seinerseits überaus lästig zu finden. Wie gut wir es ihm nachfühlen konnten!

Ohne ein Wort zu sagen, wie wenn er nicht vorhanden wäre, stiegen wir ins Obergeschoß hinauf. Die Zyste ruhte auf ihrer Matratze. Sie trug ein rosa Nachthemd mit weißen Margeriten drauf.

Juliette küßte sie auf beide Wangen:

– Wir wollen mit Ihnen in den Garten gehn, Bernadette. Sie werden sehen, was für ein schöner Tag es ist.

Madame Bernardin ließ sich bereitwillig führen. Wir nahmen sie jeder bei einer Hand. Die Treppe stieg sie Stufe für Stufe hinunter, wie ein zweijähriges Kind. Wir kamen an Palamède vorüber, ohne ihm zu erklären, wo wir hingingen, und ohne ihn auch nur anzusehen.

Weil wir keinen Stuhl hatten, der für das Monstrum breit genug gewesen wäre, hatte ich eine Decke und Kissen ins Gras gebreitet. Darauf ließen wir die Nachbarin Platz nehmen. Auf dem Bauch liegend, betrachtete sie den Garten mit einem Gesichtsausdruck, der dem des Staunens nahekam. Ihr rechter Tentakel strich über die Gänseblümchen; er holte eines bis auf einen Zentimeter vor ihre Augen, damit sie es genau betrachten konnte.

– Ich glaube, sie ist kurzsichtig, sagte ich.

– Ist dir klar, daß diese Frau ohne uns niemals ein Gänseblümchen aus der Nähe gesehen hätte? sagte Juliette entrüstet.

Bernadette unterzog das neue Phänomen einer Prüfung mit allen Sinnen: Nachdem sie die Pflanze eingehend betrachtet hatte, schnüffelte sie daran, hielt sie sich ans Ohr, strich sich damit über die Stirn und nahm sie schließlich in den Mund, kaute und verschlang sie.

– Ihr Vorgehen ist unbestreitbar wissenschaftlich! sagte ich begeistert. Diese Person ist intelligent!

Wie um meine Worte zu widerlegen, begann die Kreatur auf abscheuliche Weise zu husten, bis das Gänseblümchen wieder herauskam: Dies war keine Nahrung für sie.

Mit einer gewaltigen Anstrengung wälzte sie sich auf den Rücken herum; dann ließ sie sich zurücksinken und lag, träge und nach Luft schnappend, da. Ihre Augen hefteten sich an das Blau des Himmels und bewegten sich nicht mehr. Kein Zweifel, sie war glücklich: Das war ein anderer Anblick als die düstere Decke ihres Schlafzimmers.

Gegen vier Uhr ging Juliette Tee und Gebäck

holen. Sie näherte sich der Liegenden und schob ihr Kekse in die Mundöffnung. Unsere Besucherin gab glucksende Töne von sich: Es schmeckte ihr.

Zu unserer Bestürzung hörten wir ein Gebrüll:

– So was darf sie nicht essen!

Es war Palamède, der uns in der Erwartung, daß wir einen »Fehler« machten, seit Stunden vom Fenster seines Wohnzimmers aus beobachtet hatte. Beim Anblick unseres Vergehens war er auf die Türschwelle getreten, um uns zur Ordnung zu rufen.

Meine Frau fand ihren königlichen Gleichmut wieder und fuhr fort, die Zyste zu füttern, als hätte sie nichts gehört. Ich nahm es nicht so leicht: Und wenn er nun herüberkäme, um uns zu verprügeln? Er war ja viel stärker als wir.

Aber Juliettes Sicherheit schüchterte ihn ein. Fassungslos blieb er zehn Minuten in der Tür stehen und schaute zu, wie sein Befehl mißachtet wurde. Dann, um sich einen ehrenvollen Rückzug zu sichern, rief er noch einmal:

– So was darf sie nicht essen!

Und er verschwand in seinem Uhrenladen.

Als es Abend wurde, brachten wir Madame Bernardin in ihr Haus zurück. Wir traten ein, ohne zu klopfen. Ihr Gatte begrüßte uns mit einem: »Und wenn sie krank wird, dann sind Sie schuld!«

– Da wären Sie wohl zufrieden, was, wenn Ihre Frau krank würde? hatte Juliette gesagt.

Wir halfen ihr dabei, es sich auf ihrer Matratze bequem zu machen. Sie schien erschöpft zu sein von soviel Emotionen.

Wir hätten drauf gefaßt sein müssen: Am nächsten Tag hatte er alle Türen seiner Behausung doppelt abgeschlossen.

– Er sperrt seine Frau ein, Émile! Und wenn wir nun die Polizei rufen?

– Geht nicht, an seinem Verhalten ist noch immer nichts Rechtswidriges.

– Auch dann nicht, wenn wir hinzufügen, daß er versucht hat, sich umzubringen?

– Selbstmord ist auch nicht rechtswidrig.

– Und wenn man befürchten müßte, daß er seine Frau umbringt?

– Wir haben keinen Grund, das zu vermuten.

– Na hör mal, denkst du, er sperrt sie ein, bloß weil sie ein paar Kekse geknabbert hat?

– Er will vielleicht, daß sie abnimmt.

– Wozu sollte sie denn abnehmen, bei dem Leben, das sie hat? Und außerdem, da müßte er erst mal sich selbst anschaun!

– Wir wissen doch, worum es im Grunde geht:

Monsieur Bernardin hat keine Freude am Leben und kann es nicht ertragen, daß seine Frau nicht so ist wie er. Gestern hat er mit ansehen müssen, wie sie wegen eines Gänseblümchens außer sich geraten ist, wie der blaue Himmel sie entzückt hat, wie sie selig rülpsend die Kekse gegessen hat. Das war mehr, als er ertragen konnte.

– Und du findest das nicht abscheulich, eine arme alte Schwachsinnige daran zu hindern, daß sie sich ihres Lebens freut?

– Doch, Juliette! Das ist nicht das Problem. Aber solange er sich im Rahmen der Legalität bewegt, können wir nichts tun.

– Ich frage mich, was mich daran hindern soll, ein Fenster einzuschlagen und Bernadette herauszuholen.

– In dem Fall wäre er im Recht, wenn er die Polizei rufen würde. Da hätten wir was erreicht!

– Kann man wirklich nichts tun?

Ich will dir etwas Schreckliches verraten: Gestern, als wir der armen Frau ein paar schöne Stunden bereiten wollten, haben wir ihr geschadet. Wir sind schuld, daß sie jetzt eingesperrt wird. Ich glaube, es ist besser, den Schaden zu begrenzen. Je mehr wir ihr helfen wollen, desto schwerer wird ihr Los.

Das Argument wirkte. Juliette sprach nicht mehr davon, daß wir der Zyste helfen müßten. Aber es war klar, daß die Sache ihr nicht aus dem Kopf ging. Der Frühling machte es nicht besser: Jeder Tag war immer noch herrlicher als der vorige. Am Ende wünschte ich mir Regen: Das schöne Wetter bedrückte meine Frau. Bei einem Spaziergang sagte sie:

– Sie sieht nichts von diesen knospenden Johannisbeersträuchern. Sie sieht nichts von diesem zartgrünen Laub.

Unnötig zu sagen wer »sie« war. Jedes Knöspchen wurde zum Beweisstück in einer Anklageschrift, die, wie ich wohl spürte, nicht dem Nachbarn galt, sondern mir.

Eines Morgens platzte es aus mir heraus:

– Im Grunde wirfst du mir vor, daß ich ihn gehindert habe, sich umzubringen!

Sie antwortete mit leiser, fester Stimme:

– Nein, keineswegs. Du mußtest es verhindern.

Sie hatte Glück, daß sie dessen so sicher war. Ich war es nicht mehr. Ich hätte mich ohrfeigen können, daß ich ihn gerettet hatte. Ich gab mir zu hundert Prozent die Schuld.

Hatte übrigens nicht er selbst mir als erster einen Vorwurf gemacht? Er hatte ihn mit ungewohnter

Eloquenz an dem Tag zum Ausdruck gebracht, als ich ihn aus dem Krankenhaus abholte.

Das schlimmste war, daß ich ihm jetzt zustimmen mußte. Ich versetzte mich in seine Haut und kam zu einem gräßlichen Ergebnis: Er hatte hundertmal recht, wenn er sterben wollte.

Denn für ihn mußte das Leben die Hölle sein. Von allen Freuden des Daseins wußte er nichts; ich begann nun endlich zu verstehen, daß dies nicht seine Schuld war. Er hatte es sich nicht selbst ausgesucht, mit allen fünf Sinnen gefühllos zu sein; er war schon so geboren.

Ich versuchte mir sein Los vorzustellen: nichts zu empfinden beim Anblick eines wunderschönen Waldes, beim Klang einer Arie, die andere Menschen aufwühlt, beim Geruch einer Tuberose, beim Essen oder Trinken, beim Streicheln oder Gestreicheltwerden. Das hieß, daß keine Kunst ihn je berührt hatte. Und daß er das sexuelle Verlangen nicht kannte.

Es gibt Menschen, die dumm genug sind, von einem »Geblendetwerden durch die Sinne« zu sprechen. Haben sie einmal an die Blindheit derjenigen gedacht, denen die Sinne kein Licht spenden?

Ich spürte ein Erschauern: Welch ein Nichts mußte Monsieur Bernardins Leben sein! Wenn man bedachte, daß die Sinne die Pforten der Intelligenz, der Seele und des Herzens sind, was blieb ihm dann noch?

Selbst die mystische Askese erlernt man durch die Lust. Nicht unbedingt, indem man sich ihr hingibt, gewiß aber, indem man eine Vorstellung von ihr hat. Die Mönche, denen fleischliche Freuden versagt sind, haben zumindest ein Vorwissen davon, worauf sie verzichten. Und der Mangel ist ein ebenso guter, wenn nicht besserer Lehrmeister als die Fülle. Palamède aber litt unter keinem Mangel, denn es mangelt einem an nichts, wenn man nichts liebt.

Hat das Leben der Heiligen nicht den Beweis erbracht, daß die religiöse Ekstase ein Orgasmus ist? Gäbe es eine Trance der absoluten Gefühlskälte, würde man es wissen.

Aber bis in solche Extreme mußte man nicht gehen, um auf das Nichts unseres Nachbarn zu schließen. Es war nicht das grandiose Nichts, das Victor Hugo beschrieben hat, sondern das schäbige, erbärmliche, lächerliche und dreckige Nichts. Das saure Nichts eines armen Teufels.

Eines armen Teufels, der, *last but not least*, nie einen Menschen geliebt oder auch nur daran gedacht hatte, daß man jemanden lieben könnte. Gewiß, ich durfte nicht in billige Sentimentalität verfallen: Leben kann man auch ohne Liebe; soviel lehrt schon das gewöhnliche Schicksal der Menschen. Nur haben diejenigen, denen die Liebe fremd bleibt, dann immer etwas anderes: Pferderennen, Poker, Fußball, die Rechtschreibreform – egal was, wenn sie sich nur darin vergessen können.

Monsieur Bernardin hatte nichts dergleichen. Er war in sich selbst eingekerkert. In was für einem Loch, ohne ein Fenster! Das denkbar schlimmste Gefängnis: das eines alten verblödeten Fettwanstes in seiner eigenen Haut.

Ich begriff plötzlich, warum er von Uhren wie besessen war: Anders als die meisten Lebewesen empfand Palamède die Flüchtigkeit der Stunden als einen Segen. Das einzige Licht am Ende seines Kerkers war der Tod, und die fünfundzwanzig Uhren in seinem Haus schlugen langsam und sicher den Takt, der ihn dorthin führte. Nach diesem Übergang müßte er seinem geistesabwesenden Dasein nicht mehr beiwohnen, er hätte keinen Körper mehr, der seine Leere in sich faßte, er würde zu nichts, statt als Nichts leben zu müssen.

Eines Nachts, in einer Aufwallung von Willenskraft, hatte dieser Mann aus seinem Gefängnis ausbrechen wollen. Es hatte ihn Mut gekostet, diese Entscheidung zu treffen. Und ich Dreckskerl von einem Aufpasser hatte den Unglücklichen prompt wieder eingefangen. Stolz wie ein Denunziant hatte ich ihn in sein Gefängnis zurückgebracht.

So erklärte sich alles: Von Anfang an hatte er sich wie ein Gefangener benommen. Zuerst, als er uns zwei Stunden täglich zur Last fiel, war er der arme Häftling gewesen, der nichts anderes zu tun hatte, als einen anderen in dessen Zelle heimzusuchen. Seine Gefräßigkeit, obwohl er doch keine Freude am Essen hatte, war typisch für diejenigen, die den Gipfel des Überdrusses erreicht haben. Auch der Sadismus gegen seine Frau war ein Verhalten, wie es von Eingekerkerten bekannt ist: ein hochgespanntes Bedürfnis, die eigenen Leiden einem Opfer zuzufügen. Seine Schlampigkeit und Unreinlichkeit, sein körperlicher Verfall – alles fand man wieder bei Gefängnisinsassen in lebenslänglicher Haft.

Es war ja alles so klar! Warum bloß hatte ich es nicht früher begriffen?

Eines Nachts fuhr ich aus dem Schlaf hoch, mit einem schwer eingestehbaren Gedanken: »Warum versucht er's nicht noch mal? Es heißt doch, nach einem Selbstmordversuch besteht Gefahr, daß man rückfällig wird. Worauf wartet er mit dem nächsten Versuch?«

Vielleicht befürchtete er, daß ich ihn wiederum hindern würde. Wie konnte ich ihm zu verstehen geben, daß ich ihm dieses Mal keine Steine in den Weg legen würde?

Nun stellte sich von neuem die Frage nach der Art und Weise des Selbstmordes. Warum hatte er das Auspuffgas gewählt? In der Hoffnung, gerettet zu werden? Nein, dazu waren die Chancen zu gering. Er mußte dieses Verfahren aus Masochismus gewählt haben: auch dies wieder ein Stück Häftlingsmentalität. Oder ein symbolischer Akt: Dieser Mann, der im Leben an sich selbst erstickte, wollte den Erstickungstod sterben. Es wäre für ihn hundertmal einfacher und weniger qualvoll gewesen, sich ein Gift zu injizieren, aber konnte man ausschließen, daß dieses Viech, wie andere Selbstmörder auch, das Bedürfnis gehabt hatte, eine Mitteilung zu hinterlassen? Andere schreiben einen Brief, wozu er nicht fähig gewesen wäre. So wäre diese barbarische Art des Verreckens seine Signatur gewesen, und aus alledem hätte man zwischen den Zeilen seinen Nachruf herauslesen können: »Ich sterbe, wie ich gelebt habe.«

Ohne meine verfluchte Schlaflosigkeit hätte Monsieur Bernardin in der Nacht vom 2. zum 3. April seinen Frieden gefunden. Inzwischen hatten wir Anfang Juni. Ein abscheulicher Plan kam mir in den Sinn: Und wenn ich ihm nun schriebe? »Lieber Palamède, jetzt habe ich begriffen. Versuchen Sie's noch mal, ich werde Sie nicht mehr stören.« Ich drückte den Mund ins Kopfkissen, um nicht laut aufzulachen.

Dann kam mir dieser Gedanke immer weniger ungeheuerlich vor. Am Ende erwog ich ihn ernsthaft. Auf den ersten Blick erschien ein solcher Brief zynisch und verbrecherisch, doch wenn ich es recht bedachte, war er genau das, was mein Nachbar brauchte. Ich mußte ihm helfen.

Plötzlich konnte ich nicht mehr warten. Diese Mitteilung war von höchster Dringlichkeit. Ich mußte sie sofort schreiben.

Ich stand auf, stieg ins Wohnzimmer hinab, nahm ein Blatt Papier und schrieb die zwei befreienden Sätze. Ich ging über die Brücke zum Haus der Bernardins und schob das Blatt zusammengefaltet unter der Tür durch.

Ein seliges Gefühl der Erleichterung überkam mich. Ich hatte meine Pflicht getan. Ich ging wieder zu Bett und schlief ein mit dem idyllischen Gefühl, der Bote der göttlichen Liebe gewesen zu sein. Seraphim sangen in meinem Kopf.

Am nächsten Tag, als ich aufstand, schien mir, daß ich geträumt haben mußte. Nach und nach erst erkannte ich die Realität meiner Tat: Ich hatte tatsächlich diesen infamen Brief geschrieben. Und dann hatte ich ihn auch noch unter der Tür durchgeschoben. Ich mußte den Verstand verloren haben.

Unter Juliettes erstaunten Blicken nahm ich ihre Enthaarungspinzette und rannte hinaus. Vor der Tür des Nachbarhauses legte ich mich auf den Boden und schob die Pinzette in den Spalt, blindlings tastend, um das Papier wieder herauszuziehen. Alle Versuche blieben erfolglos. Das Blatt lag zu weit drinnen – oder aber Palamède hatte es schon gefunden und gelesen.

Entsetzt kehrte ich in unser Haus zurück.

– Kannst du mir erklären, warum du dich mit meiner Pinzette bei ihnen vor die Tür legst?

– Ich habe ihm heute nacht einen Brief durchgeschoben. Das bedaure ich jetzt. Aber ich habe ihn nicht wieder herausholen können.

– Was hast du geschrieben?

Ich hatte nicht den Mut, ihr die Wahrheit zu gestehen.

– Beschimpfungen. In der Art wie: »Sie sind ein Dreckskerl, daß Sie Ihre Frau einsperren«, und so weiter. .

– Bravo! Ich bin froh, daß du den Brief nicht zurückgeholt hast. Ich bin stolz auf dich.

Sie nahm mich in die Arme.

Den ganzen Tag lang verabscheute ich mich. Am Abend ging ich früh zu Bett und schlief sofort ein, als hätte ich es eilig, mir selbst zu entkommen. Um zwei Uhr morgens wurde ich wach und konnte kein Auge mehr zutun.

Jetzt begriff ich etwas Erschreckendes, das mich selbst anging: Es gab noch einen anderen Émile Hazel. Denn während dieser schlaflosen Stunden gab ich mir recht, den Brief geschrieben zu haben. Ich schämte mich nicht mehr im mindesten. Im Gegenteil, ich war froh über diese Handlung.

War ich ein neuer Doktor Jekyll? Die Hypothese war allzu romanhaft. Aber soviel erkannte ich, daß die Nacht einen gewaltigen Einfluß auf mich hatte. Bei Nacht rechneten meine Gedanken immer mit dem Schlimmsten und ließen keinen Raum für Möglichkeiten der Besserung, der Hoffnung oder wenigstens einer harmlosen Gleichgültigkeit. In der Schlaflosigkeit war alles tragisch, und alles war meine Schuld.

Also stellte sich eine seltsame Frage: Welcher von den beiden Émile Hazels hatte recht? Der Tagesmensch, der ein bißchen feige war und sich am liebsten aus allem heraushielt? Oder der Nachtmensch, der Angewiderte und Empörte, der zu den verwegensten Taten für andere bereit war – um ihnen leben oder sterben zu helfen?

Ich beschloß, den nächsten Tag abzuwarten, bevor ich die Frage entschied. Meine Gedanken am Morgen aber waren das Gegenteil meiner schlaflosen Grübeleien. Nun war ich wieder zu allen Kompromissen bereit.

Ein paar Tage später konnte ich mich beruhigen. Monsieur Bernardin war wohlauf, und ich fand es grotesk, daß ich mir eingebildet hatte, mein Brief könnte ihn beeinflußt haben.

Ich stellte mir vor, wie Palamède das Papier aufhob, es las und mit jener Verachtung, die er mir von Anfang an entgegengebracht hatte, den Kopf schüttelte. Ich seufzte vor Erleichterung.

Endlich war es mir vergönnt, den Mythos der Penelope zu verstehen, über den ich bei weitem nicht als einziger einem Irrtum erlegen war: Machen wir nicht alle nachts in uns die Person zunichte, die wir bei Tag darstellen, und umgekehrt? Die Gattin des Odysseus ging auf das Treiben der Freier ein, solange sie bei Tag ihre Leinwand webte; doch im

Schutz der Dunkelheit wurde sie wieder zu der hochmütigen Heldin der Verneinung. Das Licht begünstigte die flaue Komödie der Gesittung, während die Finsternis vom Menschlichen nur seine vernichtende Wut übrigließ.

– Was meinst du, Juliette, warum versucht er nicht noch mal, sich umzubringen? Es heißt doch, Leute, die einen Selbstmordversuch hinter sich haben, neigen zum Rückfall. Warum also macht er's nicht noch mal?

– Ich weiß nicht. Vielleicht hat er eine Lehre draus gezogen.

– Was für eine?

– Daß wir es nicht zulassen.

– Vorausgesetzt, wir hätten die Möglichkeit, ihn zu überwachen.

– Oder vielleicht hat er am Leben wieder Geschmack gefunden.

– Findest du, daß er danach aussieht?

– Wie soll ich das wissen?

– Schau ihn dir doch an.

– Unmöglich, er schließt sich doch ein!

– Na eben! Er wohnt in einem Paradies auf Erden, es ist der schönste Frühling von der Welt, und er schließt sich ein!

– Es gibt eben Menschen, die haben für solche Dinge keinen Sinn.

– Für was hat er denn Sinn, deiner Meinung nach?

– Für Uhren, sagte sie lächelnd.

– Allerdings. Die Uhren liebt er wie der Tod die Hippe. Aber ich frage dich noch mal: Worauf wartet er mit dem zweiten Selbstmordversuch?

– Man sollte meinen, du wünschst es herbei.

– Nein, ich versuche nur, ihn zu verstehen.

– Ich kann dir nur soviel sagen, Émile: Sich zu töten muß eine furchtbare Anstrengung kosten, selbst wenn man sterben will. Ich habe mal den Bericht eines Fallschirmspringers gelesen. Er sagte, daß es der zweite Sprung ins Leere ist, bei dem man die größte Angst hat.

– Also, wenn er's nicht noch mal versucht, dann deiner Meinung nach, weil er Angst hat?

– Wäre doch menschlich, oder?

– Ist dir in diesem Fall klar, wie verzweifelt der arme Kerl dann sein muß? Er möchte sterben und findet nicht den Mut, sich umzubringen.

– Genau, wie ich mir's dachte: du wünschst dir, daß er es noch mal versucht!

– Juliette, was ich wünsche, hat nichts zu bedeuten. Es kommt darauf an, was *er* wünscht.

– Und im Grunde möchtest du ihm helfen?

– Aber nein!

– Na, warum redest du dann davon?

– Damit du aufhörst, sein Schicksal mit deinen Augen anzusehen. Dir hat man eingehämmert, daß das Leben ein Wert an sich ist.

– Auch wenn man mir das nicht eingehämmert hätte, würde ich so denken. Ich lebe gern.

– Kannst du dir denn nicht vorstellen, daß es Leute gibt, die nicht gern leben?

– Kannst du dir denn nicht vorstellen, daß es Leute gibt, die ihre Meinung ändern? Er könnte ja lernen, am Leben Freude zu haben.

– Mit siebzig?

– Dafür ist es nie zu spät.

– Du bist eine unheilbare Optimistin.

– Du hast gesagt, Leute, die einen Selbstmordversuch hinter sich haben, neigen zum Rückfall. Meinst du nicht, daß alle Menschen zum Rückfall neigen?

– »Der Mensch neigt zum Rückfall«: klingt poetisch, aber ich versteh's nicht.

– Es gibt nichts, was der Mensch nur einmal tut. Wenn jemand einmal etwas tut, dann weil es in seiner Natur liegt. Jeder verbringt sein Leben damit, dieselben Handlungen zu wiederholen. Der Selbstmord ist nur ein Einzelfall. Die Mörder fangen immer wieder an zu morden, wer einmal verliebt war, verliebt sich bald auch das nächste Mal.

– Ich weiß nicht, ob das stimmt.

– Ich glaube, ja.

– Du glaubst also, er wird noch mal versuchen, sich umzubringen?

– Ich hab' an dich gedacht, Émile. Du hast ihn gerettet. Du wirst dich nicht damit begnügen, ihn nur einmal gerettet zu haben.

– Aber wie soll ich ihn denn retten?

– Ich weiß nicht.

Mit einem strahlenden Lächeln fügte sie hinzu:

– Das ist nicht meine Sache. Der Retter bist du!

Seit ich ihr vorgelogen hatte, daß mein Brief an Bernardin Beschimpfungen enthielte, sah Juliette in mir so etwas wie einen Messias. Es war schwer zu ertragen.

– Eigentlich sind wir doch blöd, Juliette. Warum bemühen wir uns, einem Mann zu helfen, den wir verabscheuen? Selbst die Christen gehn nicht so weit.

– Wir mögen doch Bernadette. Solange es Palamède schlechtgeht, wird er sich an seiner Frau rächen. Das einzige, was wir tun können, um der Armen zu helfen, ist, daß wir ihren Mann retten.

– Retten vor was denn?

Das gelbe Feuer des Ginsters brannte nieder. Nun kam die Glyzinie an die Reihe.

Im Juni unglücklich zu sein ist ebenso unpassend, wie glücklich zu sein, wenn man Schubert hört. Das macht diesen Monat unerträglich: Dreißig Tage lang ist jede noch so geringe Schwankung des Seelenzustandes einfach ungehörig. Das aufgezwungene Glück ist ein Alptraum.

Die Glyzinie macht es noch schlimmer. Ich kenne keinen aufwühlenderen Anblick als den einer blühenden Glyzinie; die blauen, die Bögen des Lianenstamms hinabtropfenden Blütentrauben bringen mich um das letzte bißchen Nüchternheit und verwandeln mich in einen grotesken Ausbund an Schwärmerei. Als Kind verbrachte ich die Sonntage bei meiner Großmutter. An der Wand ihres Hauses wuchs eine Glyzinie empor. Im Juni riß der blaue Regen mir Löcher ins Herz. Schon damals verstand ich es nicht. Ich brach in Tränen aus, deren Lächerlichkeit mir nicht entging.

Das Gegengift zur Glyzinie sind die Spargel, der zweite Tribut des Juni. Mir ist aufgefallen, daß es unmöglich ist, Kummer zu empfinden, während man Spargel ißt. Das Problem ist nur, man kann sie nicht vierundzwanzig Stunden lang essen.

In diesen ersten Junitagen nun hätte ich viele

Bund Spargel gebraucht, um meine Angst loszuwerden. Nachts beobachtete ich Juliettes Schlaf, so wie Christus auf dem Ölberg seine Jünger schlafen sah: Ihr waren von Geburt die Ruhe und Zuversicht zuteil geworden, und sie zählte darauf, daß ich ihr diese beiden Gaben, die mir selbst versagt geblieben waren, bewahrte.

Außerhalb des Bettes wird die Schlaflosigkeit leichter erträglich. Ich ging in den Garten. Die frische Nachtluft schlug über mir zusammen; die Glyzinie gab mir den Rest. Die höflichen Japaner schreiben sich Briefe, in denen von nichts anderem die Rede ist als von den Blumen der Jahreszeit; andere lästern über dieses Ritual, das sie für bedeutungsleer halten. Wäre ich Japaner, wäre ich gewiß ein großer Briefschreiber: Dieser Formalismus würde es mir erlauben, schwärmerische Flausen auszubreiten, ohne daß jemand es merkt.

Die Gleichung ging nicht auf: Juliette verlangte von mir, Monsieur Bernardin zu retten. Meiner innersten Überzeugung nach konnte aber nur der Tod ihn aus seinem Gefängnis befreien. Meine Frau jedoch wollte nicht, daß er starb. Und selbst wenn sie es gewollt hätte: nun schien er nicht mehr dazu aufgelegt, sich zu töten.

Die Glyzinie betrachtend, faßte ich einen Entschluß, der mir schrecklich vorkam: Von nun an würde ich mich damit abfinden, daß Juliette mich nicht mehr verstand.

Dieser Entschluß zeitigte schon am nächsten Tag seine Folgen. Ich sah den Wagen des Nachbarn, der vom Dorf zurückkam. Ich rannte ihm entgegen.

– Palamède, ich muß mit Ihnen reden.

Ohne ein Wort steckte er den Schlüssel ins Schloß des Kofferraums, öffnete ihn aber nicht. Regungslos blieb er bei dem Wagen stehen.

– Haben Sie meinen Brief gefunden?

Fünfzehn Sekunden Schweigen.

– Ja.

– Was denken Sie davon?

– Nichts.

Eine beredsame Antwort.

– Ich für mein Teil habe seither viel darüber nachgedacht. Und ich will Ihnen bestätigen: Wenn Sie's noch mal machen, hindere ich Sie nicht mehr daran.

Schweigen. Ich redete weiter:

Ich hab' darüber nachgedacht, und jetzt versteh' ich Sie, Palamède. Jetzt weiß ich, daß es für Sie die einzige Lösung ist. Es fällt mir schwer, das zuzugeben, denn schließlich ist es ja das Gegenteil dessen, was mir von allen Seiten eingeredet wurde. Sie wissen schon: »Das Leben ist der höchste aller Werte, Achtung vor dem menschlichen Leben«, und so weiter. Dummes Geschwätz, wie ich dank Ihnen nun weiß! Für jeden einzelnen gilt etwas anderes, wie in allen Dingen auf Erden. Und das Leben ist nichts für Sie, soviel ist klar. Ich versichere Ihnen, ich mache mir Vorwürfe. Ich bedaure, daß ich Sie aus der Garage herausgeholt habe.

Tausend Tonnen Schweigen.

– Ich ahne wohl, daß ein zweiter Versuch ungeheuer schwierig sein muß. Und dennoch, so seltsam es erscheinen mag, komme ich, um Ihnen dazu Mut zu machen. Ja, Palamède! Ich kann nur erraten, daß eine solche Tat eine Seelenstärke erfordert, deren ich nicht fähig wäre – doch das ist etwas anderes, denn ich liebe das Leben. Sie aber, Sie rufe ich auf, sich zu dieser Tat zu entschließen.

Ohne es zu merken, hatte ich mich ereifert; ich kam in Schwung wie Cicero bei seiner ersten Rede gegen Catilina.

– Denken Sie vor allem daran, was geschehen wird, wenn Sie es nicht tun. So wie bisher kann es nicht weitergehn. Werden Sie sich klar über Ihr Dasein: Ihr Leben ist kein Leben! Sie sind ein Haufen Leiden und Langeweile. Schlimmer noch: Sie sind das Nichts. Und das Nichts leidet, wie wir seit Bernanos wissen. Natürlich, den haben Sie nicht gelesen; Sie lesen ja nichts und tun im übrigen auch sonst nichts. Sie sind nichts und sind nie etwas gewesen. Das würde mich nicht stören, wenn Sie allein wären, doch dies ist nicht der Fall: Für Ihr eigenes Schicksal rächen Sie sich an Ihrer Frau, die zwar nicht wie eine Frau aussieht, aber hundertmal menschlicher ist als Sie. Sie halten sie eingesperrt, Sie wollen sie Ihrem Nichts gleichmachen. Abscheulich! Wer nicht leben kann, ohne jemanden zu unterdrücken, sollte besser nicht leben.

Ich begann mich wohl zu fühlen. Das Feuer der Redekunst erfüllte mich mit Energie.

– Was gedenken Sie heute zu tun, Palamède? Ich erzähle Ihnen, wie Ihr Tag verläuft: Nachdem Sie Ihre Einkäufe ins Haus gebracht haben, lassen Sie sich in Ihren Sessel fallen und betrachten vier von Ihren Uhren, bis es Zeit wird fürs Mittagessen. Sie kochen irgend etwas Widerliches zusammen, stopfen Bernadette damit voll und anschließend sich selbst, obwohl Ihnen doch kein Essen schmeckt, und schon gar nicht dieser stinkende Fraß. Dann versinken Sie wieder im Sessel und schauen ungeduldig zu, wie die Zeit vergeht und die kleinen und großen Zeiger vorantreibt. Erneute Sättigungsmaßnahmen, und dann gehn Sie schlafen. Das muß der schlimmste Augenblick für Sie sein: Ich ahne, daß Sie an Schlaflosigkeit leiden wie ich selbst, und wenn meine Schlafstörungen schon scheußlich sind, wie müssen dann erst Ihre sein? Die Schlaflosigkeit eines fetten Schweins, das sich anödet und nicht mal mehr darauf hofft einzuschlafen, weil es das gar nicht mag. Denn es gibt nichts, was Sie mögen, Palamède Bernardin! Wenn man nichts mag, muß man sterben. Sie werden mir nicht erzählen, daß Sie in Ihrem Arztkoffer keine Pillen haben, die Ihnen dabei helfen könnten. Damit geht es leichter als mit Auspuffgasen. Nur Mut, Palamède! Sie müssen nur den Mund aufmachen, die Tabletten aus einem Röhrchen mit einem Glas Wasser schlucken, sich hinlegen – und dann ist es aus mit der Langeweile, der Leere, der Quälerei mit dem Essen, den Uhren, mit Ihrer Frau und der Schlaflosigkeit! Nichts ist mehr, und Sie sind nicht mehr da, um es zu merken. Das ist die Erlösung, Palamède, die Erlösung! Für die Ewigkeit!

Meine Wangen glühten.

Nun geschah etwas Ungeheures, das ich nicht für möglich gehalten hätte: Der Nachbar fing an zu lachen. Jeder hat seine eigene Art von Heiterkeit: Bei ihm war sie armselig und schwach, aber um so gräßlicher. Man hätte sagen können, er habe die Parkinsonsche Krankheit verinnerlicht: Man sah, wie seine Eingeweide bebten, und aus seinem Mund kamen Ansätze zu leisen Aufschreien.

Es war ein ekelhafter Anblick. Obendrein schaute der Lachende mir in die Augen. Geschlagen, gedemütigt und angewidert ging ich zu unserm Haus zurück.

In der folgenden Nacht nahm mein Plan Gestalt an.

Monsieur Bernardin war in der Lage zu lachen. Manche hätten daraus geschlossen, daß er ein Mensch war. Andere hätten vermutet, er sei der Teufel.

Ich meinerseits fragte mich nach der Bedeutung dieses Lachens. Hatte er meine Ansprache lächerlich gefunden? Das hätte vorausgesetzt, daß er ein Mann mit Geschmack war – eine unannehmbare Hypothese.

Nein, es mußte ein ironisches Lachen sein. Ich deutete es ungefähr so: »Das könnte dir so passen, was, daß ich mich umbringe? Da brauchtest du dir keine Vorwürfe mehr zu machen. Alles, was du gesagt hast, stimmt, aber du hast mir die einzige Chance vereitelt, aus diesem Scheißleben zu verschwinden. Nein, es ist nicht leicht, auch nicht mit

Medikamenten. Ich habe siebzig Jahre gebraucht, um den Mut zu dem Versuch aufzubringen, und ich würde noch mal siebzig brauchen, um ihn zu wiederholen. Es ist noch schwerer, wenn man weiß, wie es ist. Und du, der meinen Ausbruch verhindert und meine Hoffnung zunichte gemacht hat, du hast die Frechheit, mir so was zu sagen! Schämst du dich nicht? Also, mein Bester, wenn du wirklich willst, daß ich sterbe, dann bring mich doch um! Wenn du deinen Fehler wiedergutmachen willst, gibt es nur eines: Bring mich um!«

Man täuscht sich oft über die Blumensprache. Von nun an verstand ich den Ruf der Glyzinie. Alles an ihr war Flehen: ihre Art, sich an die Mauer zu klammern, wie man sich an dem Kleid einer Königin festhält, das Fallenlassen der blauen Blütentrauben, als wären es untröstliche Klagen. Ich hörte die drohende Bitte heraus: »Das Leben ist ein Jammertal, eine bodenlose Qual, von der man mich befreien könnte.«

Keiner der Einwände, die ich mir vorhielt, war stichhaltig: Er hatte nicht den geringsten Grund zu leben, nicht den geringsten Grund, nicht zu sterben, und ich hatte nicht die geringste Entschuldigung, ihn nicht zu töten.

Ich entschied mich für das Datum der Sommer-sonnenwende: ein etwas kitschiger Beschluß, aber es fehlte mir so sehr an Mut, daß ich es nötig hatte, mich mit einer gewissen Feierlichkeit zu umgeben. Das Zeremoniell hat schon immer dazu gedient, sich das Gehirn mit Blei zu beschweren. Ohne den Pomp der Riten hätten wir die Kraft zu nichts.

Diese Entscheidung beruhigte mich, oder viel-mehr, sie veränderte das Wesen meiner Angst, die ja eine Art Wiedergutmachungswunsch war.

Ich wollte es nachts ausführen, weil der nächt-liche Émile Hazel zugleich finsterer und verwege-ner war. Zu Juliette sagte ich nichts.

Ich wartete, bis der Himmel jede Erinnerung an Licht verloren hatte. Meine Frau schlief tief und fest. Ich ging über die Brücke. Alle Türen des Nach-barhauses waren doppelt abgeschlossen. Ich schlug mit dem Ellbogen das Garagenfenster ein, wie in der Nacht, als ich geglaubt hatte, Monsieur Bernar-din retten zu müssen.

Ich stieg die Treppe hinauf und betrat die Rum-pelkammer, die meinem Peiniger als Schlafzimmer diente. Sein Bett schien von monumentaler Unbe-quemlichkeit zu sein. In der Stockfinsternis konnte ich sehen wie eine Katze; ich erkannte sofort die offenen Augen des Dicken, der im Bett lag. Ich hatte recht gehabt, auch er konnte nicht schlafen.

Zum ersten Mal blickte er mich nicht unzufrieden an. Aus den Tiefen seiner Gefühllosigkeit stieg eine Art Erleichterung auf. Er wußte, warum ich kam.

Er sagte nichts, und ich sagte nichts; wir waren ja nicht in der Oper. Als Todesbote bediente ich mich keiner Sichel, sondern eines Kissens. Ich verrichtete die mitleidige Tat.

Niemand kann sich vorstellen, wie leicht so was ist.

Wenn ein Siebzigjähriger mit starkem Übergewicht in seinem Bett stirbt, stellt niemand viele Fragen.

Ich fragte den Polizisten, ob Juliette und ich die Frau des Verstorbenen betreuen könnten, und er hatte keine Einwände. Man sagte uns sogar, wir seien gute Menschen.

Bei der Beerdigung war Bernadette eine sehr ansehnliche Witwe.

Nichts kommt langsamer als die Krankenhausrechnung. Ende September kam die Forderung über Palamèdes Behandlungskosten von Anfang April, nach seinem Selbstmordversuch. Ich hatte bei seiner Aufnahme die Papiere ausgefüllt und unterschrieben, und von mir verlangte man folglich das Geld.

Ich zahlte mit einem Lächeln. Es war ja auch gerecht so: Hätte ich nicht die Dummheit begangen, ihn aus seiner Garage zu schleppen, wären keine Krankenhauskosten entstanden.

Außerdem hegte ich für meinen Nachbarn, seitdem er tot war, freundschaftliche Gefühle. Ein bekanntes Syndrom: Man schätzt diejenigen, denen man Gutes erwiesen hat. In der Nacht vom 2. zum 3. April hatte ich geglaubt, Monsieur Bernardin das Leben zu retten. Welch ein Irrtum – welch ein egoistischer Irrtum!

Am 21. Juni dagegen hatte ich mich nicht als Helden aufgespielt, ich hatte nicht das Los eines anderen nach meinen eigenen Kriterien beurteilt, ich hatte nichts geleistet, was mir die Hochachtung normaler Menschen eintragen konnte; im Gegenteil, ich hatte wider meine Natur gehandelt, ich hatte das Wohl meines Nächsten über mein eigenes gestellt, ohne jede Aussicht auf Billigung durch meinesgleichen, ich hatte nicht nur die eigenen Überzeugungen mit Füßen getreten, was nicht viel heißen will, sondern auch, was noch schwerer ist, meine angeborene Passivität überwunden, um einem armen

Kerl einen Wunsch zu erfüllen – so daß sein Wille geschah und nicht meiner.

Und schließlich hatte ich mich edelmütig verhalten: Wahrer Edelmut ist der, den niemand verstehen kann. Sobald das Gute bewundert wird, ist es nicht mehr gut.

Denn erst in der Sonnenwendnacht hatte ich Palamède Bernardin im tieferen Sinn des Wortes das Leben gerettet.

Juliette weiß davon nichts. Ich werde es ihr nie sagen. Wenn sie auch nur ahnte, daß der, mit dem sie das Bett teilt, ein Mörder ist, stürbe sie vor Entsetzen.

Im Schutz ihrer Unwissenheit hielt sie das Ableben unseres Nachbarn für eine gute Sache: Endlich konnte sie sich nun, soviel sie wollte, um Bernadette kümmern. Inzwischen ist das Haus der Bernardins hell, sauber und gut gelüftet. Jeden Tag verbringt meine Frau wenigstens zwei Stunden mit der Zyste. Sie bringt ihr Essen, Blumen und Bilderbücher. Oft schlägt sie vor, ich solle mitkommen. Ich lehne ab, weil ich bei dem Gedanken, Bernadette im Bad zu sehen, erstarre.

– Sie ist meine beste Freundin, hat Juliette nach einigen Monaten zu mir gesagt.

Heute schneit es wie vor einem Jahr, als wir hier einzogen. Ich sehe zu, wie die Flocken fallen. »Schmilzt nun der Schnee, wo bleibt das Weiß?« fragte Shakespeare. Mir scheint, es gibt keine größere Frage.

Mein Weiß ist geschmolzen, und niemand hat es bemerkt. Als ich vor zwölf Monaten in dieses Haus gezogen bin, wußte ich, wer ich war: irgendein Griechisch- und Lateinlehrer, dessen Leben keine Spur hinterlassen wird.

Jetzt blicke ich in den Schnee hinaus. Auch er wird keine Spur hinterlassen, wenn er geschmolzen ist. Aber nun verstehe ich, er ist ein Geheimnis.

Von mir selbst weiß ich nichts mehr.

Bitte beachten Sie auch
die folgenden Seiten

Amélie Nothomb
im Diogenes Verlag

Die Reinheit des Mörders
Roman. Aus dem Französischen von
Wolfgang Krege

»Ein intellektueller Schlagabtausch zwischen einem
monströsen Zyniker und Frauenhasser und einer ge-
scheiten Frau. Beide treiben die Frage nach dem Sinn
des Daseins, der Liebe und der Literatur bis zum
Äußersten.« *Ellen Pomikalko/Brigitte, Hamburg*

»Erstaunlich, wie profund und abgründig Amélie
Nothomb erzählt.« *Die Weltwoche, Zürich*

Liebessabotage
Roman. Deutsch von Wolfgang Krege

In keinem Geschichtsbuch der Welt wird er erwähnt:
der Weltkrieg, der von 1972 bis 1975 in San Li Tun,
dem Diplomatenghetto von Peking, tobte. Und doch
hat er stattgefunden. Während sich Diplomateneltern
aus aller Welt um internationalen Frieden bemühen,
spielen ihre Kinder Krieg – aus Langeweile. Bis die sie-
benjährige Heldin der wunderschönen Elena begegnet
und sich unsterblich verliebt. Durch die zehnjährige
Italienerin eröffnet sich ihr ein neuer Kriegsschauplatz.
Elena wird ihr trojanischer Krieg, ihre Liebessabotage.

»Brillant formuliert. Man fragt sich, woher dieses erst
siebenundzwanzig Jahre alte Genie so viel Weisheit, so
viel Reife, so viel Sprachstil nimmt. *Liebessabotage* ist
gleichermaßen humorvoll wie grausam. Ein mehr als
würdiger Nachfolgeroman.« *Marie-Claire, München*

»Gäbe es eine Bestsellerliste für freche Enthüllungs-
literatur, Nothombs *Liebessabotage* stände ganz
oben.« *Brigitte, Hamburg*

Der Professor

Roman. Deutsch von Wolfgang Krege

Das Ehepaar Hazel hat sich einen Traum erfüllt: für
den friedlichen Lebensabend das kleine Häuschen auf
dem Land, glyzinienumrankt, in schöner Abgeschie-
denheit. Auf Sichtweite nur noch das Häuschen des
einzigen Nachbarn. So sollte dem Glück im Verborgenen nichts mehr im Wege stehen – bis zu dem Tag,
an dem sich dieser Nachbar zum Kaffee einlädt.
Zunächst nichts Ungewöhnliches. Doch er kommt
wieder. Schlag vier steht Palamède Bernardin nun täglich vor der Tür. Und läßt sich weder mit Tricks noch
mit deutlichen Hinweisen abwimmeln. Ein Alptraum
beginnt sich einzunisten.

Émile Hazel, ehemaliger Lehrer und Altphilologe, ist
am Ende seiner Geduld. Schmerzhaft wird ihm bewußt, daß sich sechsundsechzig Jahre zivilisierter
Höflichkeit nicht einfach abschütteln lassen. Wirklich
nicht?

Ein Psychothriller, der Alptraum, Endzeitstimmung
und schlagfertigen Witz zu einem atemberaubenden
Lesegenuß vereint.

»Ein vollendet komponiertes Meisterwerk. Es beginnt
wie eine Zeichnung von Sempé, es geht weiter wie ein
Roman von Stephen King, um schließlich zu enden
wie ein Stück von Beckett.«
Pierre Assouline/Lire, Paris

Leon de Winter
im Diogenes Verlag

Hoffmans Hunger

Roman. Aus dem Niederländischen von
Sibylle Mulot

In der Nacht vom 21. Juni 1989 liegt Freddy Mancini,
ein unmäßig fetter amerikanischer Waschsalon-Besit-
zer, neben seiner Frau im Bett eines Prager Hotels.
Ihn quält der Hunger, und er schleicht sich aus dem
Hotel. Dabei wird er Zeuge einer Entführung.
Zur selben Zeit sitzt der niederländische Botschafter
in Prag, Felix Hoffman, in seiner Botschaft und
schlingt die Reste eines Empfangs in sich hinein. Er
liest dabei Spinoza. Auch Hoffman hat Hunger, metaphysischen Hunger, vor allem seit seine beiden Töch-
ter auf tragische Weise starben. Seither ist er schlaflos.
Sein einziger Trost – essen.
Ein dritter unglücklicher Mann: John Marks, Amerikaner und Ostblockspezialist.
Die Schicksale der drei Männer werden durch eine
spannende Liebes- und Spionagegeschichte miteinander verwoben. Zugleich ist *Hoffmans Hunger* die
Geschichte von Europa 1989, das sich eint und
berauscht im Konsum. Ein Rausch, der nur in einem
Kater enden kann.

»Ein Buch, das unter der Tarnkappe einer Spionage-
Geschichte das Kunststück zuwege bringt, über das
Verhängnis der Liebe und die Tragik des Todes, über
die Ohnmacht der Philosophie und die Illusionen der
Politik so ergreifend zu erzählen, wie man es lange
nicht mehr gelesen hat.«
Peter Praschl/stern, Hamburg

»Leon de Winter erzählt Hoffmans Geschichte mei-
sterlich schlicht in der dritten Person, dialogreich,

eben noch geruhsam, dann mit schnellen Schritten und Schnitten. Er erzählt diskret und intim zugleich. Und auch ungeheuer komisch.«
Volker Hage/Der Spiegel, Hamburg

SuperTex

Roman. Deutsch von Sibylle Mulot

»Was macht ein Jude am Schabbesmorgen in einem Porsche!« – bekommt Max Breslauer zu hören, als er mit knapp hundert Sachen durch die Amsterdamer Innenstadt gerast ist und einen chassidischen Jungen auf dem Weg zur Synagoge angefahren hat. Eine Frage, die andere Fragen auslöst: »Was bin ich eigentlich? Ein Jude? Ein Goi? Worum dreht sich mein Leben?« Max, 36 Jahre alt und 90 Kilo schwer, Erbe eines Textilimperiums namens SuperTex, landet auf der Couch einer Analytikerin, der er sein Leben erzählt. Da ist vor allem seine Auseinandersetzung mit dem Vater, der das KZ überlebte, aber in seinem Mercedes ertrank. Ein weiteres Trauma des assimilierten Juden aus dem Yuppie-Milieu: Fassungslos mußte Max mitansehen, wie er seine große Liebe Esther plötzlich an den orthodoxen Glauben verlor. Und sein Bruder Boy verliebt sich nun in eine marokkanische Jüdin, deren Familie arm und gläubig ist. So scheint Max der einzige, der nicht in den Schoß der Tradition zurückfindet. *SuperTex* ist die farbige Geschichte eines Generationenkonflikts, ein Feuerwerk des Humors.

»Leon de Winter erzählt die Geschichte des jüdischen SuperTex-Managers Max Breslauer mit amerikanischer Rotzigkeit, europäischer Nachdenklichkeit und mit einem vielleicht holländisch-jüdischen sechsten Sinn für Dramaturgie. Ein spannendes Buch, das man nicht mehr aus der Hand legen mag.«
Barbara Sichtermann / Zitty, Berlin

Serenade

Roman. Deutsch von Hanni Ehlers

Anneke Weiss, Mitte siebzig, seit langem Witwe, hat ihre Lebenslust und ihren Elan, sich munter in das Leben ihres Sohnes Bennie, eines verhinderten Komponisten, einzumischen, gerade erst richtig wiederentdeckt. Da diagnostizieren die Ärzte bei ihr ein Karzinom. Bennie drängt darauf, daß man seiner Mutter ihre tödliche Krankheit verschweigt. Das Leben scheint ganz normal weiterzugehen – Anneke verliebt sich sogar in den 77jährigen Fred Bachmann –, doch dann, wie aus heiterem Himmel, gerät alles aus den Fugen: Die alte Dame ist spurlos verschwunden. Bleibt die Hoffnung, daß sie zu einer ihrer Vergnügungsreisen aufgebrochen ist, mit der sie ihren Sohn immer stolz überrascht. Warum gibt sie nur kein Lebenszeichen von sich? Bennie und Fred machen sich auf die Suche. Sie finden Anneke – aber nicht etwa auf den Champs-Elysées, sondern auf dem Güterbahnhof von Split. Was hat Anneke zu dieser »Reise« bewogen?

Nur vordergründig witzig und leichtfüßig erzählt dieser Roman von einem Trauma, das jeden Tag neu aufzubrechen vermag.

»Ein neuer europäischer Romancier von Rang: Leon de Winter beweist, wie man E und U spielerisch verbindet.« *Abendzeitung, München*

»Unmöglich, *Serenade* nicht zu lieben, eine Geschichte, die sich als funkelndes Leichtgewicht tarnt, um von der dunklen Last des Lebens zu erzählen, den Wunden der Vergangenheit, die keine Zeit heilt. Es ist ein versöhnliches Buch, ergreifend und von optimistischer Menschlichkeit. Leon de Winter verzichtet auf Pathos und erzählt mit zärtlicher Ironie und spannender Einfachheit.«
Mario Wirz/Der Tagesspiegel, Berlin

Zionoco

Roman. Deutsch von Hanni Ehlers

Als Sol Mayer in Boston in der Boeing 737 auf die Starterlaubnis nach New York wartet, weiß er noch nicht, daß dieser Flug sein Leben verändern wird: Der attraktive Rabbiner, Starprediger von Temple Yaakov, der großen Synagoge an der Fifth Avenue, verliebt sich verzweifelt in seine Sitznachbarin, Sängerin einer kleinen Band.

Damit bekommt seine ohnehin nicht ganz intakte Gegenwart noch mehr Risse. Die Ehekrise mit Naomi, Erbin eines Millionenvermögens, der er sein soziales und materielles Prestige zu verdanken hat, läßt sich nicht länger verdrängen. Und beruflich hat sich der liberale Rabbiner mit öffentlichen Angriffen gegen orthodoxe Chassiden gerade mächtige Feinde geschaffen.

Vor allem aber wird seine dunkle Vergangenheit wieder virulent, die Zeit, in der Sol als Lebemann und Taugenichts gegen den übermächtigen Vater rebellierte. Nur ein Wunder hatte den jungen Mann, der damals nichts vom Glauben wissen wollte, nach dem Tod des Vaters bewogen, in dessen Fußstapfen zu treten und ebenfalls Rabbiner zu werden. Wunder – oder Delirium seines alkoholumnebelten Hirns? Eine Frage, die Sol seither metaphyische Qualen bereitet.

Eine Reihe stürmischer und aufwühlender Ereignisse zwingen ihn zu einer halluzinatorischen Reise, die ihn noch einmal in die Fußstapfen des Vaters treten läßt, wunderlicher, als er sich je hätte träumen lassen.

»Seine tragischen Geschichten sind mit einem subtilen Witz aufgeladen, wie ihn nur große jüdische Autoren beherrschen: Isaac Bashevis Singer zum Beispiel, Woody Allen oder Saul Bellow.«
Christian Seiler/profil, Wien

Das Horoskop
Erzählung

Ein strahlender Herbsttag, dunstig verhangen der See,
ein Zugabteil. Zwei Frauen stellen fest, daß sie
dieselbe Strecke vor sich haben: Lindau—Basel—Paris.
Und da sie, wie sich herausstellt, auch noch außer-
fahrplanmäßige Hürden zu meistern haben, bildet
sich schnell eine kurzfristige Schicksalsgemeinschaft.
Beim Umsteigen verlieren sich die beiden. Aber nur,
um prompt wieder im selben Abteil zu landen. Und
dann lösen sich auf einmal die Zungen, Geheimnisse
werden preisgegeben, die man sonst nur einem
Beichtvater anvertraut – oder eben einer Wildfremden.
Mit »esprit de finesse« und menschlicher Wärme
beschreibt Sibylle Mulot eine Eigenschaft, die zu den
Menschen gehört wie die Luft zum Atmen: die Kunst
der Selbsttäuschung.

»Endlich eine deutsche Autorin, die wundervoll
schreiben kann und etwas zu erzählen hat.«
Annemarie Stoltenberg / NDR, Hamburg

Connie Palmen
im Diogenes Verlag

Die Gesetze

Roman. Aus dem Niederländischen von
Barbara Heller

In sieben Jahren begegnet die Ich-Erzählerin, eine
junge Studentin, sieben Männern: dem Astrologen,
dem Epileptiker, dem Philosophen, dem Priester, dem
Physiker, dem Künstler und dem Psychiater. Sie be-
gehrt an diesen Männern vor allem das Wissen, das sie
befähigt, die Welt zu verstehen und zu beurteilen. Sie
versucht die Gesetze, die sie sich für ihr Leben gewählt haben, zu ergründen, sucht nach dem, was Halt
in einer unsicheren Welt geben kann.

»Sehr lebendig und ebenso philosophisch erzählt. Ein
Bestseller der Extraklasse.«
Rolf Grimminger/Süddeutsche Zeitung, München

Die Freundschaft

Roman. Deutsch von Hanni Ehlers

Die Freundschaft ist ein Roman über Gegensätze und
deren Anziehungskraft: Über die uralte und rätsel-
hafte Verbindung von Körper und Geist; über die
Angst vor Bindungen und die Sehnsucht nach Zu-
gehörigkeit; über Süchte und Obsessionen und die
freie Verfügung über sich selbst.
Ein aufregend wildes und zugleich zartes Buch voller
Selbstironie, das Erkenntnis schenkt und einfach jeden
angeht.

»Connie Palmen ist nicht nur eine gebildete, sondern
auch eine höchst witzige Erzählerin.«
Hajo Steinert/Tempo, Hamburg

Der Roman wurde mit dem renommierten niederländischen AKO-Literaturpreis 1995 ausgezeichnet

*Liebe, Schmerz und
das ganze verdammte Zeug*
Vier Geschichten

»Was wollen Sie von mir?«
Erzählungen
Mit Fotos von Helge Weindler

Der Mann meiner Träume
Erzählung

Für immer und ewig
Eine Art Reigen

Love in Germany
Deutsche Paare im Gespräch mit Doris Dörrie
Unter Mitarbeit von Volker Wach. Mit 13 Fotos

Bin ich schön?
Erzählungen

Samsara
Erzählungen